EL PENSAMIENTO DE COSTA Y SU INFLUENCIA EN EL 98

RAFAEL PÉREZ DE LA DEHESA

EL PENSAMIENTO DE COSTA Y SU INFLUENCIA EN EL 98

XPU
103012

SOCIEDAD DE ESTUDIOS Y PUBLICACIONES
MADRID - 1966

Núm. Regtro.: 7568-65
Depósito legal: M. 8407.—1966

Printed in Spain

OGRAMA (Oficina Gráfica Madrileña).—Cebreros, 18 y 20.—Madrid—11

INDICE

INDICE

Págs.

PROLOGO

Este libro es, con ligeras variaciones, una tesis doctoral presentada en Brown University, Providence, R. I. Estados Unidos. Fue dirigida por don Juan López Morillas, a quien quisiera expresar un profundo agradecimiento por una ayuda que rebasó lo meramente profesional.

Quisiera también dar las gracias a los señores S. Montero Díaz, E. Tierno Galván, E. Terrón Abad, J. García Mercadal, R. Osuna Rodríguez, A. Gil Novales, F. Carlos Yuste, G. Cheyne y J. Amor y Vázquez, quienes en una u otra forma contribuyeron a este trabajo. Quiero mencionar especialmente a Milagros Ortega Costa, nieta de don Joaquín Costa, cuya colaboración fue en todo momento fundamental.

I

AMBIENTE FAMILIAR Y PRIMERA VISIÓN DE EUROPA

1. El Alto Aragón.

Para encuadrar mejor la figura de Costa es importante darse cuenta del ambiente social en que transcurrieron sus primeros años. Costa nació en Monzón y pasó su infancia y primera juventud en Graus, pueblos del norte de la provincia de Huesca situados en el Pirineo aragonés. El Alto Aragón es una de las zonas españolas que por su aislamiento y fuerte sentido tradicional pudo escapar a la corriente centralizadora y uniformista de los Borbones. De él dice Antón del Olmet:

> Un ambiente antagónico de instituciones seculares, aborígenes, llenas de libertad, pletóricas de democracia y de ideas al mismo tiempo religiosas en el sentido político de esta palabra. El partido clerical, denominándose tradicionalista, había involucrado en España, al formarse el partido carlista en 1833, el criterio de la tiranía, del despotismo, con el mantenimiento de los fueros, esto es,

de las libertades realmente tradicionales de nuestra patria... El solo medio de atraerse a los *montañeses*, a las regiones tradicionales de España, esto es, a los sucesores de los iberos en Cantabria y en Vasconia, en Aragón y en Cataluña, era el hacer compatibles sus fueros, sus libertades, su democracia, con el despotismo. El partido clerical lo vio así. De esta manera, todo el Alto Aragón se hizo carlista; se trocó en clerical, no, en modo alguno, por instintos fanáticos, sino, al contrario, por ansias liberales. Los llamados liberales, uniformistas, enemigos de los fueros, se malquistaron con aquella región tan apegada a su tradición ibérica (1).

Esa democracia rural consuetudinaria que Costa vivió fue uno de los factores decisivos en la formación de su ideología. En varios trabajos recogió sus instituciones consuetudinarias, desconocidas por los mismos aragoneses. En innumerables viajes a pie estudió amorosamente las formas dialectales de su lengua, sus refranes, su folklore. Aunque esa misma región le rechazó cuando quiso representarla como diputado, a ella volvió siempre y, desengañado de la política y enfermo y fracasado, a ella se retiró para morir. El venir de una región foral, donde el sentimiento particularista nunca llegó a cuajar en una tendencia autonomista, ayuda a entender su armónica posición ante problemas tan vivos entonces como la descentralización y el regionalismo.

Era la familia de Costa un típico ejemplo de patriarcalismo. Su padre, un humilde labrador, pero dueño

---

(1) L. ANTÓN DEL OLMET, *Los grandes españoles: Costa* (Barcelona, 1917), pág. 224.

de la tierra que trabajaba, parece haber sido una persona de gran elevación moral, respetada por todos; con sus sacrificios ayudó a su hijo Joaquín mucho más allá de sus posibilidades. Este siempre vivió en el hogar un ambiente de piedad y religión. El hermano de su madre, mosén Lucas Martínez, le ayudó toda su vida en lo que pudo, y su pariente, monseñor José Salamero Martínez, le apoyó algunas veces y mantuvo con él una relación larga y discontinua, no siempre cordial. Salamero fue una gran figura del tradicionalismo, que dedicó su vida a promover diversas empresas periodísticas. De una de ellas, *El Espíritu Católico*, fue Costa corresponsal durante su estancia en París. Salamero llegó a ser uno de los fundadores de la Cámara Agrícola del Alto Aragón. Estas circunstancias explican el carácter de los escritos de Costa anteriores a su entrada en la Universidad; profundamente religiosos y llenos de amor hacia la vida sencilla y humana de las pequeñas comunidades agrícolas. En el discurso inaugural del Ateneo Oscense, en enero de 1866, clamaba: «¡Mentidos los filósofos que han sentado absurdas teorías de un soñado progreso indifinido, de una perfectibilidad continua de la especie humana!» (2).

Escribía en 1867:

> La instrucción bien dirigida por las huellas del Evangelio consigue el verdadero progreso que anhelamos y es la salvaguardia de la moral; así como la instrucción anticristiana del industrialismo moderno conduce a las utopías, al olvido del

---

(2)   J. Costa, *Maestro, escuela, patria* (Madrid, 1911), pág. 37.

alma de la religión, al pauperismo, a un desquiciamiento social (3).

Esta desconfianza hacia el industrialismo y esta falta de conciencia del papel del proletariado urbano en el mundo moderno dejó huella en sus obras posteriores.

2. La Exposición Universal de París.

El año 1867 trajo para Costa algunos cambios importantes. Aprovechando sus conocimientos de albañilería consiguió una plaza de obrero, pensionado por la Diputación de Huesca, para trabajar en la Exposición Universal de París. Este viaje fue uno de los acontecimientos capitales de su vida. Su formación anterior había sido dispersa e incompleta, basada en lecturas sueltas y en unos estudios a los que pudo dedicar bien poco tiempo por tener que trabajar como obrero para pagárselos. Su voluntad y esfuerzo no pudieron suplir la angustiosa falta de dinero que le cerraba casi todas las posibilidades. El viaje a París fue para él una revelación. El contacto directo con la gran ciudad llena de riqueza, centro de la cultura europea de su tiempo, abrió ante sus ojos un mundo nuevo, unos horizontes antes insospechados. Fue una impresión de asombro a la que pronto siguió un sentimiento de dolor: la clara y punzante conciencia del atraso de España. Pero de ese dolor nació una firme vocación: dedicar su vida a intentar disminuir el desnivel entre España y Europa.

Al volver Costa de la Exposición de París, editó mo-

_____

(3) *Ibíd.*, pág. 104.

destamente un volumen titulado *Ideas apuntadas en la Exposición Universal de 1867 para España y para Huesca* (Huesca, 1868), donde resume algunas de las sugerencias que le inspiró aquel viaje. El primer epígrafe es ya revelador: «Por qué no hemos adelantado».

Entre las causas que señala de nuestro evidente fracaso en cuanto se refiere a «adelantar», está la indolencia de los españoles, producida por el clima y el territorio, y por la falta de interés en el progreso de las clases pudientes. Otro importante factor es el hecho de habernos preocupado casi exclusivamente de cuestiones políticas.

> La política de partido, que lo absorbe todo, que lo esteriliza todo, que lo ensucia todo con su asquerosa baba, que todo lo empequeñece y desdeña, a despecho de la economía (4).

Sin embargo, hay esperanza.

> Ahora que la Exposición Universal de 1867 nos ha revelado en elocuente lenguaje el nivel de todas las naciones, y que ha podido tomar lo bueno de todos preguntando qué debe hacer España para sacudir ese sueño pesado que empaña nuestra Historia (5).

Continúa con una relación un tanto ingenua de hechos que cree se deben imitar en España, dando especial importancia a la enseñanza y, dentro de ella, a la colaboración del clero en el progreso. Propugna la creación de un «cuerpo de instrucción militar», e in-

---

(4)   J. COSTA, *Ideas apuntadas en la Exposición Universal de 1867 para España y para Huesca* (Huesca, 1868), pág. 17.
(5)   *Ibíd.*, pág. 11.

cluso la propagación de obras educativas a través de los ciegos que cantan romances en los pueblos.

Interés semejante muestra con respecto a la enseñanza de la agricultura, pretendiendo su extensión a los seminarios, y la creación de «granjas militares», así como su propaganda a través de periódicos, exposiciones, etc. En este aspecto de la vida nacional, da más importancia a la instrucción que a la mecanización, ante la que se muestra reservado en razón de su interés hacia las pequeñas estructuras:

> Ni abogamos por la centralización, ni somos partidarios de la colonia falansteriana. Todos los extremos son viciosos; no queremos para el hombre del siglo XIX la omniscencia del salvaje que recolecta el cáñamo, fabrica la red y entra luego en el río para tenderla; pero tampoco nos es simpática la extremada subdivisión del trabajo, que si en muchos casos aminora el precio de los productos, en cambio embrutece la inteligencia automatizando las operaciones de la industria (6).

Lejos aún de aspirar a la construcción de canales, lo que considera demasiado costoso, pide la creación de un servicio de pozos artesianos, citando como antecedente de esta propuesta la memoria sobre *Fomento de población rural,* de Fermín Caballero. Caminos y exposiciones ayudarían a unir y facilitar el intercambio de productos e ideas. Por su desconfianza hacia la industrialización, aunque establece una enseñanza técnica, le da escasa importancia.

En un capítulo sobre «nuestra clase obrera», hace una lírica descripción del pensamiento del proletaria-

---

(6) *Ibíd.,* pág. 42.

do urbano y de su desastrosa situación social y moral. El número de los indigentes y desarraigados es mayor en los países más avanzados industrialmente, demostración de la inexistencia de un progreso social indefinido. Se enfrenta con los socialistas Proudhon, Blanc, Fourier y Owen por sus «proyectos absurdos de regenerar a la sociedad en el seno del sensualismo y de la inmoralidad» (7).

La solución, que no desarrolla, está en un reparto de las riquezas, de forma que no falte lo necesario a nadie, sin quebrantar los fundamentos de la sociedad: «Esta reacción la está produciendo, como no podrá menos, la luz del cristianismo, la caridad del Evangelio» (8). Con esta vaga declaración de principios, soslaya un problema ante el que no se sentía cómodo.

Con un ataque a las corridas de toros y un resumen de lo dicho, termina esa primera parte, dedicando la segunda al estado de la provincia de Huesca.

Estas *Ideas apuntadas* son especialmente interesantes porque nos muestran la ideología de Costa en la época que precedió a su entrada en la Universidad. Aparecen en ella ya en germen, una buena parte de los temas que le preocuparían toda la vida. Hay ya un bosquejo de la «escuela y despensa» y un claro desprecio por la retórica vacía de unos partidos políticos preocupados únicamente por cuestiones formales. Sus ideas religiosas sufrirían una profunda evolución, pero siempre continuó buscando una colaboración social con la Iglesia, huyendo de controversias estériles. El Alto Aragón proporcionó a Costa el primer contacto con un

---

(7) *Ibíd.*, pág. 61.
(8) *Ibíd.*, pág. 50.

colectivismo agrario tradicional, en el que intentaría encontrar una solución al problema social del campo español. Si bien sus estudios universitarios dieron a su ideología nuevos horizontes, siguió buscando soluciones e intentando estructurar sobre nuevas bases filosóficas los mismos problemas.

3. *La Universidad.*

Llegó Costa a una Universidad agitada por aires de revolución. En su diario va registrando nuevas influencias: en 1869 cita a Ahrens y en 1870, impresionado por la lectura de *El ideal de la humanidad,* de Sanz del Río, llega a escribir un prólogo que no publica. Mientras cursaba Derecho y Filosofía y Letras, tuvo entre sus maestros a hombres como Gumersindo de Azcárate, que contribuyeron a vincularle al krausismo. Su vocación intelectual le llevó a desear dedicarse definitivamente a la vida universitaria, si bien no logró obtener cátedra en ninguna de las oposiciones a las que se presentó.

En su diario comenta:

En abril de este año fue la oposición de Derecho Político y Administrativo. Mi ejercicio de objeciones al programa fue el más brillante y demostré a Portero que era excesivamente filósofo en su programa, siendo Historia la asignatura, y discutí extensamente con él. Las objeciones a mi programa fueron desdichadísimas. (Por desgracia, no se permite replicar; es sistema pésimo el que se sigue en las oposiciones con el reglamento actual, y ésta ha sido una de tantas causas que se han ido amontonando para perderme.) Hubiéranse hecho estas oposiciones y las de Historia de España en 1874, con aquellos reglamentos y gente liberal en el Tribunal, y yo hubiese sacado el número 1 (9).

La recién creada Institución Libre de Enseñanza le invita a encargarse de las asignaturas de Historia de España y Derecho Administrativo, y Costa, abandonando un empleo de oficial letrado bastante más lucrativo, desempeñó brillantemente su Magisterio. Su relación con la Institución fue larga y profunda, llegando a dirigir de 1880 a 1883 el *Boletín*. Hermenegilo Giner de los Ríos nos ha dejado una estampa del Costa profesor:

> Era asiduo excursionista con los alumnos a museos, fábricas, instituciones públicas, sin faltar los miércoles a presenciar los juegos escolares del puente de San Fernando, y acudiendo con igual puntualidad los domingos a los paseos campestres de los alrededores de Madrid o a las excursiones a ciudades dignas de ser visitadas, desde el punto de vista pintoresco, arqueológico, histórico, industrial, etc. (10).

El contacto de Costa con la Institución le dio no sólo un conocimiento teórico de las doctrinas krausistas, sino una experiencia humana de lo que aquella doctrina significaba como forma de vida. El espíritu de la Institución determinó su concepción de la Universidad y de la enseñanza, y aunque posteriormente al krausismo se unieron otras diversas influencias doctrinales, siempre quedó en él la actitud ética y austera de esta escuela.

Son estos tres factores: la democracia colectivista tradicional, la visión del desnivel con Europa y el krausismo, las raíces de su formación intelectual.

---

(9) ANTÓN DEL OLMET, *op. cit.*, pág. 128.
(10) Citado en ANTÓN DEL OLMET, *op. cit.*, págs. 311-12.

II

IDEAS JURÍDICAS

1. Krausismo y escuela histórica.

Fundamentalmente, Costa fue un filósofo del Derecho. Será previo, por tanto, a todo intento de comprensión de su pensamiento hacer alguna referencia a las corrientes reinantes en el pensamiento jurídico español de finales de siglo (1). Entre ellas fue quizá el krausismo una de las más influyentes (2).

---

(1) No conocemos ninguna historia de las ideas jurídicas en España en el siglo XIX. Se encuentran referencias breves en los apéndices que añaden Luis Recaséns Siches a su traducción de la *Filosofía del Derecho*, de GIORGIO DEL VECCHIO (Barcelona, 1930), y Luis Legaz Lacambra a su traducción de la *Filosofía jurídica y social*, de WILHEIN SAUER (Madrid, 1933); las de este último algo más sistemáticas. También son útiles: el vol. I del *Derecho civil*, de FEDERICO DE CASTRO Y BRAVO (Valladolid, 1942); F. ELÍAS TEJADA, *El hegelianismo jurídico en España* (Madrid, 1944); el vol. II de J. LUÑO PEÑA, *Historia de la filosofía del derecho* (Barcelona, 1949), y J. DE CAMPS I ARBOIX, *Historia del Derecho catalán moderno* (Barcelona, 1958).

(2) Para el krausismo en general pueden consultarse: PIERRE JOBIT, *Les éducateurs de l'Espagne contemporaine* (París-Burdeos, 1936), y JUAN LÓPEZ MORILLAS, *El krausismo español* (Méjico, 1956). Para

La filosofía de Krause se puede considerar como una continuación de la última época del pensamiento de Fichte: la idea del espíritu como actividad pura y la espontánea autonomía de la esfera moral son, por ejemplo, bases de su pensamiento. Hay en él, además, elementos de Schelling—su organicismo—, de Descartes —la oposición de espíritu y naturaleza—y de Kant—la irreductibilidad de las esencias.

He aquí lo que es para Krause la moral:

> La libre creación autónoma que se realiza en el tiempo y que está fundada sobre el flujo transpersonal de la actividad pura, en la que participan todas las conciencias morales. Esta actividad tiene por base en la vida psíquica real a la «Urtrieb», que se dirige hacia el bien y que, en la medida en que se hace consciente, se afirma como la voluntad idéntica a la libertad moral (3).

Esta libertad de la Humanidad coexiste con la divina dentro de un sistema panenteísta. La Humanidad es un organismo, pero no natural o biológico, sino espiritual—el organismo de la libertad—, que está llamado por su propio y autónomo esfuerzo a elevarse al absoluto. A diferencia de cualquier otro tipo de organismo, no trasciende a sus miembros, sino que se afirma en cada uno de ellos como una comunidad inmanente y activa de los espíritus que lo componen. Es, pues, un

---

la exposición de la filosofía del derecho krausista seguimos a GEORGES GURVITCH, *L'idée de droit social* (París, 1932), y a FRITZ BERELZHEIMER, *The World's Legal Philosophies* (Boston, 1912). Un resumen excelente puede encontrarse en la monografía de FERNANDO DE LOS RÍOS URRUTI, *La filosofía del Derecho en D. Francisco Giner* (Madrid, 1916).

(3) GURVITCH, *op. cit.*, pág. 445.

todo igualitario y antijerárquico por el que el hombre se une al hombre para perfeccionarse, aunque adoptando diversas formas.

El Estado nacional es una de ellas; una entre otras, no superior a las restantes formas de asociación humana ni a los individuos, que conservan su autonomía, siendo su función simplemente coordinadora. Dicho de otra manera: sólo en tanto que el Estado no sea sino asociación particular entre otras es legítimo (4).

Las relaciones de los seres sociales están armonizadas por el Derecho, que ocupa el centro del sistema social. Krause lo define como «la totalidad orgánica de todas las condiciones exteriores o interiores para realizar la vida razonable, en la medida en que esas condiciones sean producidas por la actividad libre» (5).

El Derecho es, pues, un medio cuyo fin es la realización de valores superiores. La ética impulsa al ser racional a practicar el bien por el bien mismo, mientras que por el Derecho practica el bien en cuanto a útil. Por tanto, la moral abarca

> todo el bien y, por tanto, todo el derecho, que es un bien parcial, como lo son el arte, el amor, la libertad. La exigencia de la ley moral consiste en que quiera y realice pura y libremente el bien y contiene, a fuer de imperativo general y universal, este otro imperativo especial y particular: quiere el derecho pura y simplemente (6).

---

(4) Sin embargo, frente a Fichte, afirma la necesidad absoluta del Estado.

(5) Krause llegó a esta definición partiendo de una posición anterior, desde la cual lo consideraba puramente exterior. Véase GURVITCH, *op. cit.*, págs. 453 y sigs., y F. DE LOS RÍOS, *op. cit.*, págs. 29 y siguientes.

(6) F. DE LOS RÍOS, *op. cit.*, pág. 34.

La metafísica de Krause, abstrusa y de difícil comprensión, tuvo pocos seguidores; en cambio sus teorías jurídicas y sociales alcanzaron una gran resonancia. Entre sus numerosos discípulos encontramos figuras de verdadera talla como el penalista Röder y el filósofo del Derecho H. Ahrens, profesor en Bélgica y Francia, que, a su vez, ejerció gran influencia en los pueblos latinos. Esta filosofía fue introducida en España por J. Sanz del Río, que la propagó a través de su labor docente y de la publicación de adaptaciones y comentarios de obras de Krause, entre las que se destaca *El ideal de la Humanidad para la vida* (1860).

En el orden netamente jurídico, el *Curso de derecho natural* (7), de H. Ahrens, en el que estudiaron varias generaciones de españoles e hispanoamericanos, fue uno de los más eficaces instrumentos de la introducción de la filosofía krausista del Derecho. Pero en esta propagación ocupan el primer plano, por su labor directa, hombres como Gumersindo de Azcárate—profesor de Costa—, el penalista Vicente Romero Girón, José M. Maranges y, de manera sobresaliente, Francisco Giner de los Ríos (1839-1915), catedrático de la Universidad Central desde 1866 y maestro de una legión de investigadores, quien, a más de una labor de divulgación—tradujo

---

(7) Hay una traducción de R. Navarro Zamorano (Madrid, 1841). Posteriormente FRANCISCO GINER y GUMERSINDO DE AZCÁRATE publicaron una versión crítica en su *Enciclopedia jurídica* (Madrid, 1878). Al año siguiente publicaron su *Historia del Derecho romano*. Es interesante el problema de la influencia krausista en España previa a Sanz del Río. En 1841 ya se había publicado la traducción del libro de AHRENS, y BALMES, en su *Historia de la filosofía*, ya había mostrado interés en Krause. La *Enciclopedia* incluía unas notas de Costa.

a Röder y Ahrens—, realizó aportaciones personales notables.

En pleno éxito del krausismo, dio comienzo en España la influencia del positivismo, que fue defendido por el jurista Pedro Estasén (1855-1915). Pero con independencia de los prosélitos puros que esta escuela lograra, fue curiosa e interesante la influencia que tuvo en los krausistas, de tal modo que acabó produciendo una serie de pensadores eclécticos como fueron Francisco de P. Canalejas, Nicolás Salmerón y Urbano González Serrano (8). Este mismo fenómeno se repitió con respecto al evolucionismo, al organicismo, al jusnaturalismo, etc., surgiendo así una gama de variadísimas posiciones que son muchas veces de difícil clasificación. Dorado Montero, Posada, Altamira, Buylla y muchos más pueden ser incluidos en tales grupos (9).

La otra gran corriente jurídica cuya influencia es básica en el XIX español en la escuela histórica alemana de Savigny y Puchta (10). Es su base teórica la concepción del ser social como una totalidad concreta, distinta de sus miembros y dotada de una voluntad independiente. Desde tal punto de vista, el individuo es con-

---

(8) Lo que Adolfo Posada llamaba el "krausismo positivo", citado en E. TIERNO GALVÁN, *Costa y el regeneracionismo* (Barcelona, 1961, pág. 8. Sobre la influencia de Perojo y la *Revista contemporánea* en esta transformación, véase J. LÓPEZ MORILLAS, *op. cit.*, páginas 98 y sigs.

(9) La creación de la Institución Libre de Enseñanza, a consecuencia de las medidas del ministro Orovio, reunió en ella a las grandes figuras del krausismo, originándose una tradición que continuó hasta su cierre.

(10) Las obras básicas de Savigny se publicaron en 1814 y 1815. Sin embargo, su libro más influyente, *System des heutgen römischen Rechts*, data de 1840-1849, siendo traducida, con prólogo de Durán y Bas, en 1879.

siderado un ser incompleto que sólo adquiere sentido mediante su incorporación al organismo superior social. Este organismo es indivisible y representa una comunidad espiritual (11). La sociedad es la comunidad espontánea, donde se manifiesta el *Volksgeist* o espíritu popular, siendo el Derecho una creación en el tiempo y en el espacio de este espíritu, al mismo tiempo que el Estado sólo es una superestructura parcial y esquemática que ha de encontrar justificación en su armonía con el alma popular. Consecuencias lógicas de esta concepción son la relegación a un segundo término de la función de la ley como fuente de derecho, dando la primacía a la costumbre, y la importancia concedida a todo tipo de tradiciones nacionales, regionales o locales. En la práctica, esta escuela favoreció la oposición a las corrientes codificadoras e impulsó la recogida y el estudio de las instituciones consuetudinarias.

En España, como en el resto de Europa, el siglo xix se halla dividido por las discusiones entre los partidarios de la codificación del derecho y sus adversarios (12). La corriente codificadora comprendía, en general, a liberales y conservadores, con fuerte influencia doctrinal francesa, cuyo modelo sería el Código de Napoleón. Es una dirección de carácter racionalista y estatista representada entre otros por Alonso Martínez, Cárdenas, Gamazo y Silvela. La oposición a la codificación es un movimiento de extraordinaria complejidad cuyo estu-

---

(11) Aunque esta ideología debe bastante a la filosofía de Schelling, se opone a su concepción de organismo biológico. Frente al krausismo, este organismo espiritual es un hecho real y actual, no un ideal. Véase GURVITCH, *op. cit.*, pág. 472.

(12) Véase FEDERICO DE CASTRO Y BRAVO, *op. cit.*, I, páginas 139 y 232.

dio completo sería del mayor interés para un entendimiento histórico-sociológico de la España de la época. Tradicionalistas, federalistas y regionalistas se unen en este intento común de defender los derechos forales. A su vez, dicho movimiento se desdobla en los partidarios de las codificaciones parciales de los fueros y los enemigos de toda codificación. En un caso u otro, está representado especialmente por aragoneses y catalanes, como Rey, Vives, Martí de Eixalá, Sanponts, Ferrer y Subirana y Trías Giró. Pero la figura más destacada es la del discípulo de Martí de Eixalá, Manuel Durán y Bas (1823-1907), profesor de la Universidad de Barcelona, quien da categoría científica al foralismo, fundamentándolo teóricamente en la escuela histórica, de la que se puede considerar el introductor y más alto exponente (13). A través del regionalismo, el campo de acción de esta escuela rebasó ampliamente la ciencia jurídica e influyó en la mayor parte de los movimientos políticos e intelectuales españoles de la segunda mitad del siglo XIX.

2. *Epoca krausista: «La vida del Derecho».*

En el año 1872 moría en plena juventud el catedrático de la Facultad de Derecho José María Maranges. Su familia instituyó en su memoria un premio consistente en los derechos al título de Licenciado o Doctor

---

(13) Teorías expuestas en obras como *La ciencia del Derecho en el siglo XIX* (1859); la "teoría del Derecho", *La Ciencia Nueva de Vico* (1859); *Estudios jurídicos y políticos* (1888) y *La crisis actual del Derecho* (1893). Véase J. DE CAMPS I ARBOIX, *Durán i Bas* (Barcelona, 1961).

en Derecho, para ser concedido al autor de un trabajo
sobre el tema «La costumbre como fuente de derecho,
considerada en sus principios y en su valor e importancia en Roma». Un tribunal, formado por Moreno Nie-
to, Pisa Pajares, Augusto Comas, Luis Silvela, Francisco
Giner, Jacinto Mesía y Gumersindo de Azcárate, lo con-
cedió por unanimidad a Costa por una *Memoria* cuya
primera parte se publicó en la *Revista de la Universidad
de Madrid*, y después, de manera independiente y algo
modificada, bajo el título *La vida del Derecho* en 1876.
Una segunda edición, en 1914, fue prologada por el mismo Gumersindo de Azcárate. Obra de difícil lectura por
su estilo confuso y un tanto sibilino, en ella muestra el
autor un fuerte racionalismo y un continuo anhelo de
un «sistema» completo, de una visión que explique y es-
tructure todo el ámbito jurídico y humano. Con la postura de un neófito, Costa halla en el krausismo los únicos intentos serios de llegar a tal sistema. Por ejemplo, su primera preocupación al tratar de la costumbre
es su inclusión en un sistema general.

Las tres esferas de ésta

> constituyen la Enciclopedia particular de la cos-
> tumbre, construida dentro de la Enciclopedia ge-
> neral de las Ciencias jurídicas, como está dentro
> de la Enciclopedia universal de los conocimientos
> humanos (14).

Para la determinación de ese sistema, acude a Ahrens
y Giner, partiendo del estudio teórico del Derecho y de

----

(14) J. COSTA, *La vida del Derecho* (Madrid, 1914), pág. 21. Las
divisiones en épocas de las ideas jurídicas de Costa se refieren a un
mero *predominio* de matices.

la vida, para después llegar al establecimiento de la
vida del Derecho considerada como «la realización o
determinación del Derecho como principio esencial y
eterno, en series de hechos o estados temporales y sensibles (positivos), mediante la actividad de un sujeto
racional» (15).

Continúa con un análisis de las leyes de esa vida, y
concluye con un estudio de las formas del derecho positivo.

En ningún caso se deben confundir Ley y Derecho,
siendo éste un orden homogéneo e idéntico en todo su
contenido. Por ello,

> si una parte de él se pone en forma de ley, evi-
> dentemente todo él deberá ponerse de igual ma-
> nera; y así, la regla establecida por un individuo
> para sus relaciones exteriores será ley al igual
> de la declarada por una comunidad, sea cualquiera
> el signo de la expresión, hechos o palabras, y la
> forma de la actividad: tan ley es el estatuto de
> una Universidad, como la constitución de un Es-
> tado, o un uso admitido en el seno de una con-
> fesión religiosa para sus miembros, o una cos-
> tumbre vigente en un Municipio o en una Nación,
> o un contrato celebrado entre dos individuos (16).

El abolengo krausista de estas ideas es obvio; queda
en ellas salvado el valor de la costumbre; incluso, a veces, Costa llega a amenazar en tono profético:

> La revolución es inevitable cuando la ley, por no
> acomodarse a la costumbre, comprime la vida, o

_____

(15) *Ibíd.*, pág. 98.
(16) *Ibíd.*, pág. 156.

que la vida cesa y el pueblo muere de atonía cuando la comprensión supera a la fuerza positiva y de acción, lenta o violenta, de la manifestación consuetudinaria (17).

Aparece clara en este párrafo su conciencia de lo urgente del tema en aquel momento de «fiebre legislativa» de las cámaras.

Por lo demás, se observan en esta obra, tan inmadura por otra parte, muchos rasgos que serán característicos de su obra posterior, entre los que ocupa un primer plano la búsqueda de raíces en la tradición jurídica española, citando frecuentemente a Suárez, Quevedo, Donoso Cortés, etc. Esto es especialmente patente en los dos pequeños tratados que incluye bajo el epígrafe «Formas anormales del derecho positivo», sobre la justificación de la revolución y de la dictadura, temas que le interesarían toda su vida y que constituyen la parte probablemente más personal de este libro.

3. *Influencia historicista: «Derecho consuetudinario y economía popular de España».*

En 1880 se publica *Derecho consuetudinario del Alto Aragón,* reeditado en forma muy ampliada en 1902 bajo el título de *Derecho consuetudinario y economía popular de España.*

En aquella obra se pretendía ofrecer a los jurisconsultos

_____

(17) *Ibíd.,* pág. 6.

un doctrinal de máximas y reglas de justicia, fundadas en un concepto verdaderamente ético y orgánico del Derecho y del Estado, aunque inconscientes y obra de la razón colectiva empírica, para que digan conmigo si no vale la pena, después de haber oído en las aulas a Krause y Taparelli, de estudiar la filosofía del derecho que enseñan en sus hechos los rudos montañeses del Pirineo (18).

Este fragmento, al que corresponde la tónica del libro, es revelador. Representa un notable cambio con respecto a su postura de 1876. A las ideas krausistas sobre la organicidad y eticidad del Derecho se ha superpuesto una clara influencia de la escuela histórica. El Derecho aparece como una creación inconsciente de la razón colectiva empírica, teoría que acepta sin elaborar; hay, incluso, un ataque reticente contra los universitarios, que sólo conocieron en las aulas las doctrinas de Krause y Taparelli. Esto afirmaba el hombre que cuatro años antes había publicado uno de los tratados más abstrusos en mucho tiempo, según él mismo reconocería más tarde (19).

Otros elementos menos doctrinales contribuyen, sin embargo, a la génesis de este libro, donde se quiere dar:

una muestra viviente de jurisprudencia consuetudinaria..., opuesta diametralmente a la celosa y opresora de Castilla..., resellando esas preciosas tradiciones... con el cuño de nuevas ideas (20).

_____

(18)   J. COSTA, *Derecho consuetudinario y economía popular de España* (Madrid, 1902), I, 4.
(19)   J. COSTA, *Teoría del hecho jurídico individual y social* (Madrid, 1883), pág. 8.
(20)   COSTA, *Derecho...*, I, 4.

3

Esa es la verdadera razón para escribir esta obra: estudiar y defender las instituciones jurídicas regionales, amenazadas por la corriente codificadora centralista. Los foralistas, bajo el magisterio de Durán y Bas, habían encontrado un arma doctrinal en las «nuevas ideas».

Se queja Costa de que, frente al interés de literatos y filólogos por lo popular, los jurisconsultos lo ignoren; por esto, ataca las codificaciones que consideran la vida del Derecho como un organismo matemático e inanimado, en lugar de un organismo vivo y sujeto a la «eterna dialéctica de la historia» (21). Sin embargo, no se opone en absoluto a cualquier tipo de codificación, sino sólo a la apriorista y centralista que se pretendía llevar a cabo. Un código debería hacerse no sólo teniendo en cuenta la libertad política del ciudadano, sino también su libertad civil; es decir,

> El ciudadano ha de ser libre para elevar a categoría de ley individual propia una de las leyes generales admitidas en el código, o para derogarlas todas en relación a sí, dándose derecho nuevo (22).

El «Estado Oficial» ha de ir abdicando unas facultades usurpadas, devolviéndolas a todos los demás estados orgánicos y espontáneos: individuo, familia, consejos de patronos y obreros, etc. Sólo en esta forma, opuesta a la tendencia legislativa del momento, admitía una codificación. La recogida del derecho consuetudinario, que cree necesaria y a la que él mismo contribuye de una manera fundamental, tiene por objeto

---

(21) *Ibíd.*, pág. 10.
(22) *Ibíd.*, pág. 7.

ofrecer una enseñanza o un modelo, pero en ningún caso una imposición.

Este libro, a más de ser interesante para un conocimiento de la evolución de Costa, tiene el valor primordial de incluir una importante recopilación de datos de primera mano, muchos de ellos inéditos para el especialista. Este estudio directo de lo consuetudinario, que será una de las facetas más perdurables de su obra, inspiró y fomentó una actividad en tal sentido continuada después por la Academia de Ciencias Morales y Políticas.

Además de estos trabajos sobre instituciones civiles, Costa prestó una gran atención a las instituciones administrativas municipales, dentro de los mismos supuestos teóricos, contra los partidos turnantes que habían dado a España desde 1845 cuatro leyes municipales y desde 1869 habían preparado siete proyectos de ley, opina Costa que unas y otros son

casi tanto como repúblicas platonianas oceanías, falansterios, colonias armónicas y ciudades solares ha edificado la fantasía de los arbitristas políticos desde la antigüedad más remota hasta nuestros días (23).

En noviembre y diciembre de 1884, el Ministerio de Gracia y Justicia comenzó a elaborar una nueva ley de gobierno y régimen local, de la que notas oficiosas señalaban como virtudes su radical originalidad y el conocimiento que suponía de la legislación extranjera por parte de los juristas. Frente a esta actividad de unos teo-

---

(23) *Ibíd.*, pág. 9.

rizadores cuyo único contacto con la realidad española era «el ruido ensordecedor de la Puerta del Sol», como dijo Costa, éste decidió comenzar una recogida de materiales sobre costumbres municipales que dio a luz con el título de *Materiales para el estudio del derecho municipal consuetudinario de España* (Madrid, 1885) (24), que fueron también integrados en *Derecho consuetudinario y economía popular de España*.

En 1880 el Ministerio de Gracia y Justicia decretó la redacción en el plazo de un año de un Código Civil, tomando como base el proyecto de 1851; dentro de él habrían de respetarse algunas instituciones forales, para lo que se estableció la formación de unas memorias sobre el derecho de las regiones forales. Esto reavivó el problema de la necesidad de revisar el derecho aragonés, como ya Joaquín Gil Bergés había defendido ese mismo año en su prólogo a la *Recopilación de los Fueros y observancias referentes a este antiguo Reino de Aragón*, de Emilio de la Peña.

Una de las ideas que se empezó a abrir paso fue la creación de una codificación particular aragonesa, idea refrendada por la Junta de Gobierno del Colegio de Abogados de Zaragoza, el cual promovió el 19 de febrero de 1880 una consulta sobre la conveniencia de convocar un congreso de jurisconsultos aragoneses con la finalidad de llevar a cabo esta recopilación. Aprobado el proyecto, el congreso se abrió el 4 de noviembre en el Palacio de la Diputación provincial.

Joaquín Costa participó activamente en él; fruto de esta labor fue la publicación en 1883 de *La libertad ci-*

---

(24) Escrita con la colaboración de Manuel Pedregal, Juan Serrano y Gervasio G. de Linares.

vil y el congreso de jurisconsultos aragoneses, recopilación de las tareas y de las ponencias del congreso, siendo sólo una pequeña parte del libro original suya; en ella, por lo demás, poco añade a sus trabajos anteriores.

En 1884 aparecen sus *Estudios jurídicos y políticos*, una de sus obras fundamentales, colección un tanto heterogénea dedicada en una gran parte a estudios sobre historia de las ideas políticas en España y a problemas comerciales y coloniales. Sin embargo, este libro, desde el punto de vista estrictamente jurídico, no posee demasiada significación. En él incluye un estudio histórico sobre los requisitos de la costumbre según los autores que abarca desde el Derecho Romano a las doctrinas contemporáneas, ante las que no toma partido.

4. *«Teoría del hecho jurídico»; la génesis de la costumbre.*

La obra más sistemática de Costa es, probablemente, la *Teoría del hecho jurídico*, publicada en 1880, donde desarrolla la teoría biológico-jurídica que había iniciado ya en *La vida del Derecho*, pero ahora en forma más madura y amplia. Entre las dos publicaciones, había realizado una serie de investigaciones sobre instituciones consuetudinarias, que aumentaron su interés y conocimiento de varios aspectos problemáticos del nacimiento y delimitación de la costumbre. Al mismo tiempo había estado abierto a las nuevas corrientes científicas europeas, que habían irrumpido arrolladoramente en el ámbito nacional. De ellas la nueva psicología experimental y psicofísica de Weber, Fechner y Wundt (escuela que contaba en España con figuras como Pedro Mata Fontanet y con órganos como *España Médica* (25), dejó claras huellas en la *Teoría del hecho jurídico,* donde armoniza ideas ya expuestas anteriormente, con nuevas formas de expresión, considerando la actividad jurídica como psicofísica y basada, por tanto, en el aparato neuropsíquico, del que hace un estudio bastante fuera del caso al tratar los hábitos jurídicos, a los que aplica la ley de los umbrales de Weber.

El capítulo IV, que estudia el hecho consuetudinario y el origen de la costumbre, es la parte más valiosa del libro. Las soluciones que ofrece Costa al problema del nacimiento de la costumbre trascienden lo meramente jurídico; por ello en otras obras las aplica al estudio de los orígenes de la poesía popular.

Se hace en este libro una crítica de las teorías de la escuela histórica sobre el origen del Derecho que Savigny considera surgido del espíritu general que anima a todos los miembros de una nación. Este espíritu es independiente de las voluntades individuales, aunque fueran concordantes. Nunca nace de modo casual, sino que responde a una serie de necesidades concretas. Tal derecho se manifiesta en una comunidad de convicciones que la voluntad sólo puede patentizar, nunca crear. Preocupado Savigny de resaltar la impersonalidad del Derecho, no se preocupa de estudiar el medio de su aparición.

Frente a la escuela histórica, afirma Costa que, en lu-

---

(25) Estas corrientes están bosquejadas en M. MÉNDEZ BAJARANO, *Historia de la filosofía en España* (Madrid, s/f.), y estudiadas más a fondo en T. CARRERAS ARTAU, *Estudio sobre médicos filósofos españoles del siglo XIX* (Barcelona, 1952).

(26) COSTA, *Teoría...,* pág. 52.

gar de ser el pueblo el sujeto activo y personal del Derecho, lo es siempre el individuo. Tan importante diferencia teórica le permite enfrentarse con el problema que Savigny había eludido. Para su argumentación, desarrolla y amplía ideas krausistas expresadas ahora en lenguaje científico-biológico. Cree así en la existencia de diversos estados entre ellos el individual negado por los historicistas. Los estados sociales están formados por otros individuales, coordenados y autónomos, dotados de una propia causalidad. Ahora denomina a éstos «protocélulas» y los enfrenta a las «deuterocélulas». La vida social es siempre mediata, realizándose a través de órganos individuales representativos.

Los hechos jurídico-individuales son consuetudinarios cuando a su calidad de jurídicos agregan la contemporaneidad; esto es, cuando el todo social se reconoce representado en ellos, adhiriéndose a esa manera de obrar. Este reconocimiento se puede manifestar de dos maneras: una es la asimilación o imitación, por la que la mayoría juzga los actos de un solo individuo justos o ventajosos, adoptándolos y repitiéndolos; la otra es la aparición de una serie de hechos similares, simultáneos, originales e independientes, lo que no es extraño teniendo en cuenta la unidad de vida de una comunidad. A veces, estos dos se mezclan. La representación por la cual el individuo actúa en nombre de la sociedad se origina por una selección espontánea, que aquélla refrenda en una forma que se podría denominar «sufragio *a posteriori*». La repetición no es completamente necesaria para la producción de un hecho consuetudinario, sino que para su nacimiento basta un solo acto, distinguiéndose entre costumbre y hábito, al par que se niega a aquélla el requisito de la repetición.

En el prólogo a *Derecho consuetudinario del Alto Aragón,* Costa admitía el historicismo con bastante menos reservas que en *Teoría del hecho jurídico;* este libro muestra una actitud ideológica más madura y armónica.

A pesar del esfuerzo a que estos libros contribuyeron, la costumbre como fuente de derecho no llegó a tener sino un carácter suplementario con respecto al Código. Se celebró en Madrid en 1886, por ejemplo, el Congreso Jurídico Español, en el que Costa, en colaboración con Bienvenido Oliver, José María Pantoja y Francisco Giner de los Ríos, presentó un dictamen sobre costumbre y jurisprudencia donde se aboga por una extensión del reconocimiento del valor de la jurisprudencia y por una recopilación de las costumbres jurídicas como base a una admisión reducida de éstas contra la ley (27). Tal proposición fue rechazada por 294 votos en contra, 77 a favor y 34 abstenciones, prueba del criterio legalista predominante.

La larga serie de estudios consuetudinarios que Costa había hecho debería de haber cuajado en un gran tratado sistemático, pero un complejo encadenamiento de problemas personales y dificultades externas le impidieron llegar a tan deseable objetivo, aunque llegó a publicar el plan de ese tratado en 1887 incluyéndolo como apéndice en *Derecho consuetudinario y economía popular de España.* Era un magnífico plan, que sólo podemos lamentar que no llegara a desarrollar. Sistematiza en

---

(27) COSTA, *Derecho...,* II, 368.

él todos sus estudios anteriores, añadiendo un capítulo
que trata de la Dictadura con una serie de epígrafes
sobre las consecuencias que la aplicación de este tipo
de gobierno puede producir en distintas clases de Estado: *a)* Si se trata de Estados incipientes, puede cons-
tituirlos en nacionalidades cultas y poderosas, dando
ejemplos históricos como el de Pedro I de Rusia. *b)* Si
se encuentran en situación decadente o de estancamiento, puede regenerarlos o hacerlos retroceder (los Re-
yes Católicos, Cromwell, Augusto). *c)* Si han llegado a
la descomposición, como en el caso de Honorio o Wam-
ba, no puede ya resucitarlos; y, finalmente, *d)* Estados
que se regeneran, a los que puede hacer retroceder. A
este tema, que tanto le preocupó y con respecto al cual
en estas formulaciones muestra una tan evidente influencia de Donoso Cortés (sobre quien había escrito en
Estudios jurídicos y políticos), dedicaría posteriormente varios otros estudios.

5. *El problema de la ignorancia del Derecho.*

El 3 de febrero de 1901, con motivo de su recepción
pública en la Real Academia de Ciencias Morales y Políticas, pronunció Costa un discurso sobre «El problema de la ignorancia del Derecho y sus relaciones con el
status individual, el referéndum y la costumbre», que
fue contestado por Gumersindo de Azcárate y publicado
con el mismo título poco después. En este discurso,
probablemente el mejor construido y más profundo de
nuestro autor, se afronta el problema que plantea la

legislación española al establecer que «la ignorancia de las leyes no excusa de su cumplimiento». Para Costa, ésta es una ficción, una falsedad a sabiendas mantenida por una necesidad social.

> Por manera que el orden social, en las naciones modernas, no puede asentarse sobre la verdad; necesita de una abstracción, necesita de un artificio gigante, monstruoso, que condena a los hombres a caminar a ciegas por el mundo; que los condena a regir su vida por criterios que les son y que fatalmente han de serles ignorados (28).

De esta protesta encuentra antecedentes en los clásicos, especialmente en Vives. Esta presunción nace de la separación entre legislador y legislado propia del doctrinario; esa regla debería sustituirse por la de «no son verdaderamente leyes sino aquéllas que el pueblo conoce... y refrenda cumpliéndolas, traduciéndolas en sus hechos» (29). Se da cuenta claramente de que la aceptación de la doctrina que propone podría conducir al anarquismo, y sobre este punto reproduce doctrinas de Kropotkine. Sin embargo, afirma: «No me he propuesto, ni podría, mediar en la contienda desde el punto de vista de la filosofía» (30). Se limita, por tanto, a ofrecer una serie de ejemplos de situaciones civiles y políticas en las que el individuo actúa con plena libertad, fuera del alcance de las leyes. Hace un estudio histórico de la admisión de la costumbre contra la ley, y concluye, finalmente, que dentro de un federalismo cabría llegar

---

(28) J. Costa, *El problema de la ignorancia del Derecho* (Madrid, 1901), pág. 2.

(29) *Ibíd.*, pág. 22.

(30) *Ibíd.*, pág. 27.

a la implantación de aquella doctrina peligrosa. Con esta implantación se daría solución a un problema que parece llevar consigo:

> como una exigencia de la razón y como una necesidad apremiantísima de las sociedades modernas, nada menos que una revolución: arriar la toga, emancipar al pueblo de la Facultad (31).

Para Carreras Artau (32), las fuentes que utiliza en esas afirmaciones son Suárez, Vives y sus propias investigaciones consuetudinarias.

El problema de la ignorancia del Derecho en todo caso es difícil de resolver. Cualquier solución que se dé irá determinada por la decisión que se tome respecto al problema previo de la autonomía o heteronomía del Derecho. La posición que Costa defiende ha sido, en general, poco admitida; entre los pocos tratadistas que coinciden con él está Pedro Dorado Montero, una doctrina intermedia se ha esbozado recientemente en los nuevos códigos mejicano y boliviano (33).

La doctrina que mantiene Costa no es sino una consecuencia lógica de su propia teoría jurídica autónoma, dentro de la que el Derecho está como empapado y transido de eticidad y enraizado en lo íntimo de la vida personal, por tanto, sus manifestaciones externas como la ley o la costumbre son ontológicamente secundarias con respecto a su realidad más pura, que se halla ínsita en la conciencia, fundida, aunque no confundida, con

---

(31) *Ibíd.*, pág. 92.

(32) T. CARRERAS ARTAU, "Joaquín Costa", en *Arxiu d'Etnografia i Folklore de Catalunya* (Barcelona, 1918), II, 106.

(33) Sobre las nuevas soluciones en los códigos latinoamericanos, véase el prólogo de J. Cabanellas a J. Costa, *op. cit.*, edición de Buenos Aires de 1944..

la actividad específicamente moral. De acuerdo con esos presupuestos, la concepción heterónoma de un derecho válido en contra o al margen de la convicción de aquel que haya de cumplirlo es un atentado a la libertad tal y como él la concibe.

6. *Teoría de la libertad civil.*

Basándose en Giner y Savigny, Costa rechaza la distinción clásica entre derecho privado y público y la sustituye por la de derecho voluntario y derecho necesario. El derecho es una relación entre los fines racionales y los medios adecuados a ellos, establecida por una actividad consciente y libre. Partiendo de estas ideas, puede uno preguntarse: ¿está inscrita en la razón una forma necesaria y única para cada relación de derecho, o puede la actividad del sujeto realizar el fin en formas diferentes? (34).

Costa encuentra que existen dos órdenes de relaciones jurídicas: unas que abrazan la naturaleza humana en su concepto absoluto, en lo permanente y esencial de ella, y otras que la afectan en su carácter relativo y mudable. Para las primeras, siendo siempre igual la finalidad y forma de realización, es lógico que la razón dicte la forma de relación *a priori*. En el segundo caso, únicamente la persona individual a quien diréctamente interesa podrá juzgar lo que más convenga en cada circunstancia. El primer orden está sometido por las relaciones de derecho necesario, y el segundo por las de derecho voluntario. Es, además, conveniente el

(34) COSTA, *Teoría...*, pág. 81.

establecimiento de un derecho supletorio para los casos en que el individuo utilice toda su libertad en el ámbito de derecho voluntario. Este ámbito constituye la libertad civil primordial, que es más importante que las libertades políticas, cuyo papel es en gran parte el de una simple garantía de aquélla.

> Llamaremos régimen de libertad civil a aquél en que el Estado superior respeta a los individuos y a las familias la libertad de acción dentro de su privativa esfera, limitándose al papel de regulador, registrando en el Código las formas en que traduce espontáneamente el derecho voluntario, y sancionándolas con carácter supletorio, facultativo y, por decirlo así, docente (35).

Cualquier invasión del Estado en la libertad civil es una intolerable tiranía, y así se da el hecho de que en muchos países llamados liberales el individuo y la familia quedan prácticamente destruidos en nombre de una supuesta libertad abstracta al quedar regulados de una forma compulsiva.

Entre las perniciosas consecuencias de la negación de esta libertad están la desconfianza y la transgresión consuetudinaria de la ley y el entorpecimiento del desenvolvimiento natural de la sociedad. Por otra parte, el presentar mezcladas y sin ordenación jerárquica las leyes del derecho necesario y las del voluntario, provoca en el individuo una sensación de arbitrariedad general que las desautoriza, haciendo que el pueblo se sienta oprimido. No hay pueblos más sumisos a la autoridad que aquellos que no se sienten tiranizados. Esta

(35 *Ibíd.*, pág. 108.

confusión legal puede producirse en varias formas: 1) traduciendo en leyes facultativas o voluntarias lo que la razón estima como necesario: así, la emisión del sufragio político; 2) traduciendo en leyes obligatorias e ineludibles el derecho que la razón tiene por voluntario y libre; por ejemplo, la sociedad conyugal, el consejo de familia, etc.; 3) estableciendo como derecho supletorio una ley que exprese la convicción jurídica de la generalidad y que, por tanto, debería ser fuente primordial de derecho: por ejemplo, la libertad foral testamentaria de Aragón, en tanto que es expresada como algo supletorio con respecto al Código; es decir, algo que debe ser expresado de modo concreto.

Históricamente, la libertad civil se da en Inglaterra y, dentro de España, en Aragón, mientras que una corriente reductora de su ámbito irradió siempre de Castilla. El único principio que haría aceptable una codificación general sería precisamente el reconocimiento de esta libertad; el no reconocerla y el fundar el Código en un derecho estereotipado y abstracto entrañaría el pedir a los españoles una abdicación de su pasado tradicional y de la esfera de su libertad aún no destruida, lo que es a la vez pedirles la abdicación de su porvenir. Sólo la libertad civil puede hacer posible el desarrollo de la costumbre y que haya, por tanto, en la vida del derecho «ritmo, orden, regularidad y consecuencia, y a que no sufran desviaciones sensibles las leyes de la continuidad y del progreso de la costumbre jurídica» (36).

_____

(36) *Ibíd.*, pág. 127.

Mientras Costa pensaba, escribía y hablaba de este modo, todos los partidos liberales y conservadores movíanse dentro de un doctrinarismo legalista, sin el menor respeto por la libertad civil. De aquí, en parte, la actitud crítica de los krausistas con respecto a la «monarquía doctrinaria».

En el Congreso de Jurisconsultos Aragoneses repite Costa estas ideas, entonando un canto a las instituciones consuetudinarias de su región, por estimar que, frente a Castilla, Cataluña, Portugal, Francia y casi todos los países europeos, había conseguido reprimir las tendencias invasoras del Estado, dejando casi intacta la libertad del individuo y la familia, no mezclando los ámbitos del derecho voluntario y del necesario; es decir, el derecho foral aragonés había evitado una uniformidad absurda, que, privando a las personas de una red de beneficios y defensas, las juzgaba en minoría perpetua, con lo que se cortaba su iniciativa (37). De aquí que Aragón haya sido la única región en la que se ha dado un régimen auténticamente representativo, «ideal todavía de nuestro siglo » (38). Porque allí el ciudadano no absorbe al padre o al propietario, ni el Estado a la familia o al municipio, pues tan soberanos son éstos en su esfera como aquél en la suya.

Esta homogeneidad de forma y de esencia debía producir por lógica necesidad este resultado: que el gobierno de la familia sirviera de aprendizaje al gobierno de la ciudad, como éste al de la nación.

---

(37) J. COSTA, *La libertad civil y el Congreso de Jurisconsultos Aragoneses* (Madrid, 1883), pág. 53.
(38) *Ibíd.*, pág. 55.

> Y he aquí por qué decía Maquiavelo que en «Aragón eran maestros consumados de la política hasta los hombres más sencillos» (39).

Esta división de la libertad en civil y política había logrado que gracias al liberalismo doctrinario—común a todos los partidos turnantes—se hubiera producido una monstruosa escisión; por ello vemos que los liberales en política son absolutistas en cuanto se refiere a libertades civiles, mientras que éstas son defendidas por los absolutistas en política.

En otras palabras: los absolutistas quieren emancipar al hombre en cuanto miembro de la familia, pero lo esclavizan en cuanto miembro del Estado, al paso que los liberales, sólo preocupados de fórmulas abstractas, lo esclavizan en la familia. Así se explica que

> los tradicionalistas abominen del derecho político de Aragón, por absurdo, monstruoso y virando a todo ruedo, pero se encontrarían bien con su constitución civil... los segundos (liberales); por el contrario, miran con recelo y con desconfianza el derecho civil aragonés..., pero, en cambio, enaltecen y exaltan la excelencia de su constitución política (40).

Esta trágica escisión, quizá con base en otra más profunda del carácter español, es altamente perniciosa por ser la libertad una e indivisible, de tal modo que la negación de un tipo de libertad repercute desfavorablemente en el otro. Por tanto, cualquier programa de partido que prescinda de uno de ellos, será inevitablemente truncado e insuficiente.

---

(39) *Ibíd.*
(40) *Ibíd.*, pág. 57.

El concepto de libertad civil es uno de los más importantes del pensamiento de Costa, especialmente si atendemos a la influencia que tuvo en su obra posterior. Una mala interpretación de esta idea ha sido la base para aquellos que, fundándose en lecturas parciales de sus últimas obras, no alcanzan a tener una visión unitaria de su ideología y le acusan de contradictorio. El ideal de Costa era la unión de las libertades civil y política, pero dando la primacía a aquélla. Esto explica que a veces se le haya clasificado, bien como revolucionario e izquierdista, bien como casi carlista, cuando, en realidad, siempre se enfrentó a estas doctrinas en lo que tenían ambas de parciales al tiempo que las defendió en parte en su fallido intento de llegar a una libertad total.

III

1. Los antecedentes doctrinales.

La obra de Costa une a su gran interés el haber ejercido una honda influencia en la generación del 98 o en figuras como Ortega. En este capítulo nos proponemos examinar unos aspectos casi olvidados de esa obra: las ideas literarias y la creación novelística.

Las ideas de Costa sobre la literatura están, al igual que todo su pensamiento, fuertemente influidas por las doctrinas de la Escuela Histórica Alemana y por el Krausismo. Según la Escuela Histórica la literatura es una expresión del espíritu colectivo; por los especiales caracteres de esta forma de expresión podemos encontrar en ella las manifestaciones de la conciencia política, jurídica o económica del pueblo. Para el estudio del Derecho, además de los textos legales o las costumbres, la literatura ofrece una inmejorable vía de acceso a la espontánea creación de la conciencia jurídica popular. Esa conciencia naturalmente se manifiesta en diversos grados en los distintos géneros literarios: de manera primordial en la poesía popular, mucho menos en la erudita. Dentro de la poesía popular, más claramente en la epopeya, los romances y refranes; de manera menor, en otras formas como la lírica. El que quiera buscar el Derecho en la literatura erudita deberá en cambio separar cuidadosamente en la obra del poeta lo que hay de individual sometido a la distorsión y al contagio de las escuelas y lo que hay de colectivo. El poeta popular no es solamente un recolector del espíritu del pueblo, sino que es también su oráculo y su portavoz.

La historia del Derecho se había basado hasta entonces casi exclusivamente en los textos legales. Había que construir frente a esa historia parcial y fosilizada una nueva historia centrada en las manifestaciones jurídicas vivas y espontáneas que el pueblo había dejado en la literatura. No solo el Derecho, también la Política se encontraba en la misma situación y había que volver a buscarla en la autenticidad de su creación espontánea. La literatura, por tanto, deja de ser un objeto primordialmente estético y se convierte en materia de estudio de juristas, políticos, economistas, historiadores, etc.

Las ideas krausistas sobre la literatura podrían ser armonizadas con varios puntos de vista de la Escuela Histórica. A pesar de las diferencias de matiz, también los krausistas aceptaban que la literatura era:

el primero y más firme camino para entender la historia realizada... En ninguna otra esfera pue-

de estudiarse con más seguridad el carácter de
los pueblos y las variaciones que sufre la opinión, con lo cual establece la literatura una mutua prestación de ideas recibiendo la inspiración
del espíritu común fundida en creaciones individuales sorprendentes (1).

Aplicando las teorías de la Escuela Histórica, varios
investigadores europeos estudiaron a lo largo del siglo XIX las ideas jurídicas y políticas existentes en
diversos autores antiguos y modernos. En España se
buscaron antecedentes a este tipo de trabajo en las
obras de algunos clásicos como Saavedra Fajardo y
Quevedo, que escribieron doctrinales políticos basados
en la Biblia o en los pensadores griegos y romanos.
Entre los estudios modernos de este tipo que cita Carreras Artau (2) están el *Juicio crítico de las obras de
Calderón bajo el punto de vista jurídico*, de Heliodoro
Rojas de la Vega (1883), *El derecho en el Poema del
Cid*, de Eduardo de Hinojosa (1897) y *La idea del derecho en nuestros místicos*, de D. F. Ribera Pastor (1900).

2. *Ideas sobre la literatura.*

A pesar de algunos antecedentes, el verdadero inicia-
dor de estudios de este tipo en España es sin duda

---

(1) F. GINER DE LOS RÍOS, *Estudios de literatura y arte* (Madrid, 1919), pág. 154.
(2) F. CARRERAS ARTAU, en su libro *La filosofía del derecho
en el Quijote* (Madrid, 1903), págs. 29-46, hace un resumen de los
trabajos europeos y españoles sobre este tema, si bien mezcla meros
estudios objetivos de instituciones jurídicas con trabajos doctrinal-
mente historicistas.

Joaquín Costa. Estas investigaciones se encuentran en varios lugares de su obra; principalmente las utiliza en sus trabajos sobre la antigüedad española como fuente de reconstrucciones sociales, pero su más importante aportación se encuentra en la *Introducción a un tratado de política sacado textualmente de los refraneros, romanceros y gestas de la península* (3). Esta obra consta de dos partes: una larga introducción sobre la poesía popular como fuente de Derecho y una segunda parte dedicada a la poesía popular, mitología y literatura celto-hispanas. Este libro no es más que una introducción general a un tratado que no llegó a escribirse. En la primera parte de esta introducción —la más interesante para nosotros—expone Costa sus ideas generales sobre la poesía popular en la que se manifiesta el saber político y el concepto del Derecho que posee el pueblo:

> Hasta aquí se ha analizado la poesía popular española bajo el aspecto filológico, estético y literario, de su origen, desarrollo y decadencia, caracteres que ostenta, significación y valor que puede concedérsele como elemento de la historia, etc., etc.; pero apenas ha sido utilizada de modo intencional y sistemático para penetrar el pensamiento ético, religioso, jurídico y político que animó al pueblo, y que el pueblo consignó en ese gran repertorio de su sabiduría, y ni siquiera para infundir un soplo de vida en las rígidas facciones de la Historia, mediante los vivos

---

(3) Publicado en Madrid en 1881, aunque alguna de sus partes ya había aparecido en la *Revista de España*. Este libro lleva como subtítulo *Poesía popular española y mitología y literatura celto-hispanas.*

y animados relatos de su vida íntima hechos en
ese candoroso libro de sus memorias (4).

Ese saber popular tiene para Costa carácter de ob-
jetividad al apoyarse en la verdad latente de las ideas
innatas y en él alientan las divinas inspiraciones de la
razón universal: «Será lícito, por tanto, considerar el
saber encarnado en los refranes como una especie de
ciencia revelada» (5). Esta sabiduría: «ostenta como
primeros atributos lógicos el ser una en el fondo e
inorgánica en la forma; y que su oposición respecto
al saber especulativo de los científicos nace en ser éste
en la forma uno, y vario e inorgánico en su esencia» (6). En ella se manifiesta «el espíritu espontáneo
de las grandes entidades colectivas» (7). En esa manifestación colaboran: «muchas generaciones, subordi-
nando todas su acción a un plan latente y oculto que
por una especie de instinto y de interna necesidad pre-
sienten... El plan de todo el conjunto lo posee la nación, pero la nación como entidad colectiva que vive
muchos siglos» (8).

Toda creación literaria es individual y debe califi-
carse de erudita cuando «por razón de su contenido es
subjetiva y extemporánea, hija de la pura individua-
lidad del artista... Popular en el caso contrario, cuando
el poeta se ha hecho nación, raza, humanidad, des-
prendiéndose de todo elemento egoísta y particular,

---

(4) Joaquín COSTA, *Introducción a un tratado de política sacado textualmente de los refraneros, romanceros y gestas de la península* (Madrid, 1881), pág. 19.
(5) Ibíd., pág. 96.
(6) Ibíd., pág. 95.
(7) Ibíd., pág. 163.
(8) Ibíd., pág. 132.

empapándose de sentido universal histórico..., cuando
el pueblo se recoge objetivado en la obra, la acoge y
sanciona con su aprobación, y se la transubstancia haciéndola carne de su carne y hueso de sus huesos» (9).
Distingue como formas de esta poesía popular el refrán, el cantar, el romance, el poema o drama y la
epopeya. Cada uno de estos géneros es episódico y
fragmentario con respecto a los que le siguen y sinté-
tico respecto a los que le preceden (10). El orden de
sucesión lógica coincide con el orden de sucesión temporal, es decir, el cantar es posterior al refrán, el romance lo es al cantar, etc. Otra cosa sería admitir que
«la razón artística se gobierna por leyes distintas que la
científica o jurídica» (11). Proviniendo todos los géneros de una misma fuente no es absolutamente necesario que todo género se base de hecho en alguno de
los anteriores; puede ser así, pero también se puede
basar directamente en la fuente común del espíritu
colectivo. El nacimiento de un género no lleva consigo
la muerte de los anteriores, sino que coexisten, del
mismo modo que coexisten en la sociedad humana la
familia y el Estado. Un romance así podría nacer de
tres formas diferentes: mediante la yuxtaposición de
un cierto número de canciones con una relación co-

---

(9) Ibíd., págs. 155-156.

(10) Su hipótesis de considerar los refranes como el origen de
la poesía popular contaba con precedentes tan importantes como
Gonzalo CORREAS, en su *Arte grande* (Barcelona, 1903), pág. 258,
y fue recogida por Julio CEJADOR en *La verdadera poesía castellana*
(Madrid, 1921), I, 25-26. Esta teoría ha sido recientemente revalo-
rizada por RODRÍGUEZ MOÑINO y Daniel DEVOTO, citados en Dá-
maso ALONSO, *Antología de la poesía de tipo tradicional* (Madrid, 1956), págs. LXXVIII- LXXIX.

(11) J. COSTA, *op. cit.*, pág. 181.

mún; mediante el desarrollo evolutivo a partir de una sola canción, y, en fin, creándose directamente a partir del espíritu popular.

Esta visión eminentemente racionalista del desarrollo de los géneros literarios le lleva a confirmarse en la opinión de la precedencia de los romances sobre las canciones de gesta (12). Esta precedencia había sido la doctrina generalizada en Europa en buena parte del XIX teniendo como expositores a figuras de la talla de Wolf, Dozy, G. Paris y Amador de los Ríos. Una teoría contraria fue sostenida por Milá en 1874 en su libro *De la poesía heroico-popular castellana*, donde afirma que existieron cantares de gesta de mediados del siglo XI a mediados del siglo XIII, interrumpidos entonces por el auge de las crónicas escritas; inspirados en estas crónicas surgen después los romances. La teoría de Milá, incorrecta en algunos extremos por falta de suficiente documentación, no fue aceptada inmediatamente; así, no debe extrañarnos que Costa siga la opinión generalizada en su tiempo.

Sin embargo, la parte sin duda más original de estos estudios sobre poesía popular es la teoría sobre el mecanismo de su creación. Su originalidad aparece clara si lo examinamos desde la perspectiva de la polémica entre los individualistas y tradicionalistas (13) que so-

---

(12) Su excesiva tendencia racionalista ya fue señalada por E. de HINOJOSA en "J. Costa como historiador del derecho", *Anuario de Historia del Derecho Español* (Madrid, 1925), pág. 8: "El defecto de que adolecen a veces los trabajos de Costa, sobre todo los primeros, explicable quizá por predominar en su espíritu la cultura filosófica respecto de la historia, consiste en dejarse llevar demasiado del amor a las ideas abstractas, del espíritu de construcción, del afán excesivo de sistematizar."

(13) Para un resumen de la polémica entre individualistas y

bre el origen de esta clase de poesía llenó el siglo XIX. En España, tanto Milá en su libro citado (1874) como Menéndez Pelayo en su *Tratado de romances viejos* (1903) aceptaron el principio individualista y no prestaron especial atención al papel creador de las variantes populares. Hay que esperar al estudio sobre los romances de los Infantes de Lara, de Menéndez Pidal en 1896, para encontrar este papel creador claramente afirmado. Posteriormente y a partir de *L'épopée castillaine* (1910) continúa Menéndez Pidal desarrollando esta doctrina que le lleva a considerar la transmisión como algo esencial, de forma que las variantes que unas veces mejoran y otras deterioran la primitiva canción individual hacen del pueblo un coautor. La poesía primitiva vive en variantes, sin que se pueda reconstituir un texto primitivo, ya que ese texto no lo sería de una canción popular. La variante es punto esencial y definidor de este tipo de poesía. Para evitar confusiones, propone la sustitución de la denominación «poesía popular» por «poesía tradicional», reservándose el nombre de popular para aquella poesía de corta popularización y escasas variantes.

Creemos que Costa representa un notable antecedente de esta posición. Establece Costa claramente que el pueblo forma su poesía siempre a través de individuos «Mediante uno o algunos de aquellos elementos libres constitutivos, elevados a categoría de *funcionarios* (ministros o delegados para determinada *función* social), sea espontánea, sea deliberadamente» (14). Es-

tradicionalistas véase R. MENÉNDEZ PIDAL, *Romancero hispánico...* (Madrid, 1953), I.

(14)   J. COSTA, *op. cit.*, pág. 136.

tas obras individuales no son populares solamente porque reflejen sentimientos de la colectividad y sean, por lo tanto, asimilables.

No solo son populares porque sean asimilables, si además no han sido asimiladas. La forma originaria que el poeta imprime a su obra antes de confiarla al pueblo que la inspira no es definitiva ni la última. Una vez que ha sido prohijada por el pueblo y héchose patrimonio universal, queda sometida al influjo de todas las energías plásticas y transformadoras que en su seno actúan: ha principiado para ella el trabajo de renovación molecular y de florecimiento consuetudinario, tanto más activo cuanto menos reflexiva es la vida de la sociedad y más fecunda en obras asimilables por ella al genio de las individualidades artísticas. Resultado de este trabajo es una cosecha óptima de variantes (15).

Esta actividad de la sociedad equivale a un mecanismo de tesis, antítesis y síntesis. Sobre la obra individual la sociedad actúa mediante la adición, sustracción, desarrollo o cualquier tipo de alteraciones de fondo y forma, posteriormente hay un trabajo de síntesis entre las variantes más bellas. «Recapitulándose en un conjunto orgánico y constituyendo una obra unitaria de carácter compuesto y armónico dentro del propio género» (16). Afirma claramente el papel fundamental de las variantes, que pueden ser positivas o negativas, en la creación de la poesía papular; la terminología que emplea al considerarla una síntesis de

---

(15) Ibíd., pág. 157.
(16) Ibíd., pág. 160.

la obra individual—tesis—y las variantes colectivas —antítesis—no dejan lugar a dudas. Sin embargo, restos de prejuicios individulistas le llevaron a pedir un cierto tipo de unidad final. Su profundo conocimiento de lo consuetudinario, sus estudios de primera mano de refranes y poesías evidentemente representaron una gran ayuda en la formulación de estas teorías.

3. Investigaciones literarias aplicando estas ideas.

El tratado de política que Costa prometió nunca se llegó a escribir. Su primer capítulo sobre «El concepto del Derecho en la poesía popular española» lo incluyó en los *Estudios jurídicos y políticos;* en él establece una serie de características de nuestro Derecho, entre ellas el ser un orden de bien y un orden de reparación; no identifica el bien jurídico con el bien religioso. «El contacto, y más que contacto, compenetración de musulmanes y cristianos por espacio de ocho siglos... acentuó más y más el principio de independencia del Derecho respecto de la religión» (17). No identifica tampoco el bien jurídico con el económico; la fuerza no es parte integrante del derecho, pero sí su vehículo externo; el Derecho es una categoría universal, no solo humana; el derecho humano se realiza bajo Dios. Estos principios los ilustra profusamente con romances, canciones populares, citas del *Poema del Cid,* refranes, etc. Se echa de menos una clasificación de las

---

(17) J. COSTA, *Estudios jurídicos y políticos* (Madrid, 1884), página 22.

fuentes o unas indicaciones cronológicas. Sus conclusiones son en todo caso excesivamente generales y se
resienten de una falta de sistematización.

La búsqueda de ideas políticas en obras literarias
la aplica Costa a varios autores clásicos, tales como
Quevedo y Gracián, en ensayos contenidos en sus *Estudios* (18).

Conectado con este tipo de trabajos tenemos también la conferencia *Representación política del Cid en
la epopeya española* (1878), que publica en sus *Estudios*. Se enfrenta en ella con los críticos que hacían del Cid un hombre servil, lleno de respeto humilde
por la institución monárquica y el absolutismo, entre
ellos Dimas Hinard, Buckle y Francisco de P. Canalejas, cree nuestro autor que esa opinión errónea se basa
en tres falsas premisas: una, el no haber comparado
el poema con la legislación de la época; de haberlo
hecho se hubiera comprobado que muchos de los actos
del Cid que pueden parecer humillaciones ante el rey
no eran, en realidad, sino aceptaciones de leyes existentes; otra fuente de errores es el haber utilizado los
poemas de *Mío Cid* y *Rodrigo* sin tener en cuenta que
no eran sino refundiciones de romances anteriores; estos romances primitivos influyeron en los poemas, en
las crónicas y en los romances viejos, y lo hicieron en
los tres casos de forma directa. La tercera fuente de
errores es el no haberse dado cuenta de que los re-
fundidores tomaron los romances como material para
sus poemas épicos; lo hicieron sirviendo determinadas

---

(18) También incluye un trabajo independiente sobre la influencia negativa que tuvo en la doctrina política española la recepción
de obras orientales en el siglo XIII.

teorías políticas; así, el *Mío Cid*, que cree escrito en la época de Fernando III el Santo, fue transformado con fines didácticos, de forma que sirvieron al absolutismo monárquico.

Como resultado cree Costa que la auténtica representación del Cid hay que buscarla en los romances, donde aparece un Cid demócrata, enemigo del absolutismo y, sobre todo, respetuoso de la justicia hasta la heroicidad. «No conozco epopeya nacional ni de raza que haya levantado tan alto el principio de la Justicia y rendídola tan fervoroso culto como la epopeya española» (19). Ese culto a la justicia tiene su momento culminante en la jura de Santa Gadea. «Este momento gloriosísimo de la vida del Campeador constituye una de las más sublimes concepciones épicas de todos los siglos» (20). Ninguna de las demás concepciones épicas la aventaja ni siquiera la iguala. El Cid «hincha los aires de acentos liberales que no han cesado de resonar en nuestra historia... Aquí tiene su raíz la vocación artística de nuestro pueblo; su epopeya parece la apoteosis del deber y un himno a la justicia; hace del derecho una religión» (21).

Costa en este estudio se proponía demostrar una tesis y lo hace utilizando para ello ingeniosos argumentos en contra de las doctrinas que podían poner dificultades eruditas al desarrollo de sus teorías (las de Milá, por ejemplo). En todo caso, dio al Cid en Santa Gadea una gran importancia en su obra posterior, contraponiendo un Cid civil, servidor del derecho y «liberal»,

---

(19)   J. COSTA, *op. cit.*, pág. 170.
(20)   Ibid., pág. 180.
(21)   Ibíd., pág. 172.

al Cid guerrero y respetuoso de su rey, de los que querían afiliarle en el «partido carlista o en el moderado histórico» (22). La tumba de este Cid guerrero es la que después pretendería cerrar con doble llave.

Queremos aquí indicar que a estas teorías que invitaban a buscar en las obras literarias el auténtico espíritu popular y nacional corresponde—en nuestra opinión—un importante papel en crear la atmósfera intelectual dentro de la cual los miembros de la generación del 98, y especialmente Unamuno, buscaron en el *Quijote*, en los místicos, en nuestro teatro clásico el espíritu de la auténtica España.

Para terminar este examen debemos hacer unas breves referencias a la segunda parte de la *Introducción a un tratado de política* que dedica Costa a una hipotética reconstrucción de la poesía popular y mitología celto-hispanas. El comentario de este aspecto del libro cae fuera de este trabajo. Según otras opiniones más autorizadas, no parece que poseyera un gran valor científico. Unamuno lo encontró interesante y sugerente, pero carente de rigor, y recoge en uno de sus ensayos un juicio que oyó «a mi maestro Menéndez Pelayo—el español contemporáneo de quien he aprendido más—sobre la obra de Costa acerca de la literatura y mitología celto-hispanas, que me parece, como suyo, acertadísimo, y es que abunda en hipótesis ingeniosas, pero no aceptables» (23). El mismo Menéndez Pelayo califica el libro de «original y erudito» (24), pero en otro

---

(22) Ibid., pág. 169.
(23) M. de UNAMUNO, *Obras completas* (Madrid, 1950), IV, 806.
(24) M. MENÉNDEZ PELAYO, *Obras completas* (Santander, 1942), XVII, 36.

lugar señala los enormes errores que contiene y lo hace a pesar del respeto y simpatía que tenía por Costa. «No me place insistir en estas aberraciones de un hombre de gran mérito» (25).

Costa, a lo largo de sus trabajos sobre la España primitiva, varió de teorías iberistas a teorías celtistas (26). En todo caso, hay que considerar valiosa su contribución al descubrimiento de orígenes prerromanos a varias instituciones consuetudinarias españolas; probablemente la tendencia «antilatina» de Unamuno, que corresponde a los años de mayor influencia de Costa, tiene su origen en estas investigaciones. Parece que se puede, en suma, consultando algunas opiniones sobre estos estudios de la antigüedad hispana, aceptar un juicio de Unamuno. «Su método era de intuición, de adivinaciones parciales y, sobre todo, de fantasía y retórica, aunque estas se expresen sobre datos» (27).

4. *Creaciones novelísticas originales.*

Otro aspecto interesante de la obra de Costa es su producción de novelista, que responde a una temprana y constante vocación, ya que a los veinticuatro años proyecta escribir una novela, *El siglo XXI*, y cercana su muerte trabajaba en *El último día del paganismo*. No llegó, sin embargo, a publicar ninguna durante su

---

(25) Ibíd., XLII, 267.
(26) J. M. Ots Capdequí, "Los grandes cultivadores de la historia del derecho español", *Anales de la Universidad de Valencia*, XXVII-XXVIII, 120.
(27) M. de Unamuno, *op. cit.*, pág. 806.

vida. Entre los volúmenes anunciados en la Biblioteca Costa estaba *Justo de Valdedios*, que, sin embargo, permaneció inédito. De esta novela escribió en su diario que sería

> una de las novelas histórico-científicas nacionales, se ha ido desarrollando, ha crecido como una semilla que nace y se agranda y ha resultado una novela humana a la vez que nacional, el Quijote de la civilización nueva, pero positivo, afirmativo y además armónico, como lo requiere la nueva edad... sobre un argumento nacional tan simpático para mí como la renovación de Francia y de España. España es la humanidad sintetizada, una, representada en Justo de Valdedios; Francia es la humanidad de la contradicción, de la oposición sin síntesis... se trata de... animar la verdadera racional filosofía, de hacer la epopeya de nuestra edad (28).

Parece, pues, que valoraba bastante este aspecto de su obra; a pesar de ello, la única novela suya que llegó a imprimirse fue *Ultimo día del paganismo y primero de... lo mismo* (Madrid, 1917). En ella trabajó con gran intensidad los últimos años de su vida, cuando, desengañado y amargado, se retiró definitivamente a Graus. No la llegó a terminar y se publicó como obra póstuma en forma incompleta; se trata de una novela histórica ambientada en la España romana durante la decadencia del Imperio, en el siglo IV, cuando ya el

---

(28) L. ANTÓN DEL OLMET, *Los grandes españoles: Costa* (Madrid, 1907), pág. 97. Entre los papeles inéditos de Costa existentes en el Archivo Histórico Nacional, que están siendo estudiados por Alberto GIL NOVALES, está el original de la novela *Soter*.

cristianismo había conquistado a una buena parte de la población de la Península (29).

Desconocemos cuál hubiera sido la forma final de este libro; es evidente que se trata de un bosquejo muy necesitado de revisión. Demuestra en esta obra su autor unas discretas dotes de novelista, aunque el historiador y el pensador aparecen en cada página, quitando humanidad a los personajes. Se le podría clasificar en ese discutido género de las novelas ideológicas o de tesis. El lenguaje es algo retórico, pero abunda en magníficas descripciones, especialmente de paisajes, y algunas de sus partes llegan a tener bastante fuerza dramática. No podemos, sin embargo, juzgarla sino como unos apuntes sin terminar y más que como obra literaria, a pesar de sus evidentes méritos parciales, debemos examinarla como obra ideológica.

No es un capricho el situarla en el siglo IV, momento de descomposición del Imperio; es evidente que el novelista quiso darnos un trasunto y paralelo en la España romana de los males y problemas de su época. El protagonista Numidio—el mismo Costa—intenta emprender una lucha contra el caciquismo que plagaba las provincias romanas e intenta ayudar al campesinado pobre, explotado y robado de sus antiguas tierras comunales. Las soluciones que ofrece son educación rural, introducción de nuevos cultivos, regadíos; en fin, todo el programa de escuela y despensa. A pesar de

---

(29) Sin duda el desconocimiento de este libro hizo a J. A. Alborg considerar como una novedad la ambientación en la España romana de una novela de NÚÑEZ DE ALONSO; véase su *Hora actual de la novela española* (Madrid, 1958), pág. 268.

esta propaganda, el pueblo, «degradados eunucos», no se rebela contra los caciques, lo que lleva a Numidio a un triste escepticismo. Espera, a pesar de todo, que ese pueblo se rebele en el futuro; esta esperanza se basa en la actitud revolucionaria de su hijo y en el mismo cambio de las masas, que empiezan a rebelarse y a hablar de un mítico caudillo tarteso, Habis, que les prometió tierra y libertad. ¿Era esta la visión que del futuro tenía Costa? Hay muchas razones para pensarlo; el paralelismo entre su propia historia política y la del protagonista de su novela es demasiado exacto y también lo es el de sus fracasos en sus intervenciones en la vida pública. Costa puso en boca de su personaje pensamientos que él no llegó a expresar. La novela inacabada lleva como abrupto final un extraño capítulo en el que Numidio inventa el telescopio y al contemplar en él las estrellas muere de la impresión, entrando en el nirvana.

Este libro, evidentemente lleno de elementos biográficos, es extraordinariamente interesante por ofrecernos la posibilidad de conocer aspectos de la intimidad del autor, que siempre guardó celosamente. El título de la novela viene dado por la figura del hereje Prisciliano; su persecución marca el final de la inquisición pagana y el principio de la cristiana. Capítulos enteros se dedican a combatir la unión de la Iglesia y el Estado en la figura de Teodosio, y a predicar la educación laica. Se filtra a través de todo el libro un profundo escepticismo hacia las religiones positivas y un racionalismo algo angustiado; hay varias razones para pensar que esa era la postura religiosa de Costa (30).

Un estudio completo de este libro exigiría relacionarlo con los otros trabajos literarios de los regeneracionistas, con obras tan olvidadas como *Tierra de Campos* o *El derecho de la fuerza* de Macías Picavea, o *La ley del embudo* de Queral, volúmenes que forman un curioso capítulo de la novela ideológica de España.

---

(30) Esta novela quizá responda en un sentido diferente a la pregunta que sobre Costa formuló Unamuno: "¿Manifestó alguna vez acaso sus sentimientos o sus creencias religiosas? Este problema religioso, el más hondo, el más vital, lo soslayó siempre", en *Obras completas* (Madrid, 1958), III, 1141.
Esperamos estudiar en el futuro la influencia de las ideas literarias de Costa en Unamuno, que creemos muy honda. Esta influencia es especialmente visible en sus primeros escritos; véase, por ejemplo, "Sobre el cultivo de la demótica", *Obras completas*, páginas 473-492, correspondiente a 1896.

IV

IDEAS POLÍTICAS

1. El punto de partida: la crítica krausista al liberalismo doctrinario.

Para una determinación del pensamiento político de Costa tenemos un estudio que, aunque ha pasado inadvertido a los tratadistas, es, a nuestro parecer, fundamental. Incluido en *Estudios jurídicos y políticos*, data, no obstante, de 1876. Su título es «La política antigua y la política nueva» (1). Se trata de una obra primeriza y corresponde a un momento muy concreto de su evolución intelectual, pero contiene en germen una parte muy importante de sus ideas posteriores.

Estudia en ella las relaciones entre los hechos de la humanidad y el pensamiento reflexivo, dando a este término un significado tan amplio que dentro de él

---

(1) Publicada antes en *Revista Europea*, VI, 139 (22-X-1876), páginas 532-538; VI, 140 (29-X-1876), págs. 563-572. Al pasar a *Estudios jurídicos y políticos* se le suprimió el último apartado, donde estudiaba otras monografías de Giner.

cabe prácticamente toda creación del espíritu, reflejo siempre de una situación social. El *Pancha tantra,* por ejemplo, refleja el patriarcalismo indio; la *Política* de Aristóteles, la ciudad griega; el *Príncipe* de Maquiavelo, el autocratismo renacentista; las obras de Gracián, el pensamiento jesuítico del XVII. En definitiva, viene a afirmarse que siempre la teoría, hasta el siglo XVII, siguió al hecho, de manera que nunca pretendió ser normativa. Más tarde la situación cambió, acentuándose aún más este cambio a partir de Montesquieu y Rousseau. Y aunque el *Espíritu de las leyes* está en parte basado en la constitución inglesa, y la obra de Rousseau en algunas constituciones suizas, son obras, a pesar de todo, cabalmente aprioristicas, hasta tal punto que desde ellas se ha pretendido adaptar la realidad a sus esquemas, ocurriendo que

> caminan parejos las ideas y los hechos y en tan acabado paralelismo, que no es fácil poner en claro...—por no ser unos mismos los que piensan y los que ejecutan—cuándo ha precedido el hecho al pensamiento reflexivo, y cuándo, por el contrario, el pensamiento ha determinado al hecho en las repetidas metamorfosis que ha experimentado la Constitución política desde últimos de la pasada centuria (2).

Frente a este pernicioso apriorismo destacan, según Costa, dos obras de Giner: *La política antigua y la política nueva* y *La soberanía política,* ambas incluidas en *Estudios jurídicos y políticos.* A la exposición y defensa de dichos ensayos dedica el resto del trabajo,

---

(2)   COSTA, *Estudios jurídicos y políticos* (Madrid, 1884), pág. 220.

por lo que también nos importa a nosotros dedicarles atención.

Entiende Giner, y acepta Costa, que el liberalismo, desde mediados del siglo XVIII, ha tomado dos direcciones: una, formalista y abstracta, que desdeña considerar la base ética e interior del Derecho, consagrando todo su interés a las formas de gobierno y a las garantías exteriores contra sus posibles extralimitaciones (que llama liberalismo doctrinario), y otra, el neoliberalismo, que no atiende a las formas sino en segundo término, interesándose más en el fin del Estado y en los derechos individuales y sociales, con respecto a los cuales las libertades políticas no son más que un medio.

Montesquieu y Rousseau iniciaron el doctrinarismo, que recibió este nombre hacia 1830, durante el mesocratismo de Luis Felipe. Dentro de él hay dos corrientes: una, aristocrático-conservadora, representada por B. Constant, Chateaubriand, De Maistre, Taparelli, Balmes, Schlegel y Donoso, entre otros, que parte de Montesquieu, y otra, liberal, que parte de Rousseau y encuentra su mejor defensor en Cousin. El exclusivo interés de ambas por los problemas formales les llevó a dividir el Estado en dos esferas: el Gobierno, por un lado, y los súbditos, por otro, las dos plenas de mutua desconfianza.

A la larga, el doctrinarismo es un sistema basado en la Idea de Estado, aunque, contradictoriamente, no analiza este concepto ni se hace cuestión de su valor, su alcance o su misión,

y esta negligencia o menosprecio le ha incapacitado radicalmente para todo lo que no sea dogmatizar sobre opiniones vagas y verdades parciales, insuficientes para responder a las necesidades de la vida pública, e impotentes para defender el orden social y político, combatido, de un lado, por las teorías socialistas y comunistas, y de otro, por las doctrinas místico-teológicas (3).

No obstante, encuentra a este sistema grandes logros, tales como la tolerancia religiosa, la libertad de imprenta, etc., y dice de él que es

el espíritu común a todos los partidos liberales que han compartido el campo de la política, así teórico como práctico, desde últimos del pasado siglo hasta la reciente aparición del neo-liberalismo, y que aún hoy se disputan la gobernación del Estado (4).

Prácticamente, todas las escuelas le han rendido culto; no sólo el «despotismo liberal», sino incluso también el «despotismo absolutista». Existen, pues, tres clases de doctrinarismo: el doctrinarismo aristocrático (en los ejemplos franceses que cita, la Restauración); el doctrinarismo mesocrático (la Monarquía de Julio), y el doctrinarismo democrático (la República francesa). Las diferencias que puede haber entre ellas estriban en la cantidad de poder que dan a cada órgano, pero no en la clase de ese poder. Al doctrinarismo se oponen dos corrientes: 1) la dirección fáctica de la política inglesa, distinta de sus formulaciones teóricas —tan impregnadas de doctrinarismo—, que está basada en un espontáneo *self-gobernment*; el mismo hecho

_____

(3) *Ibíd.*, pág. 228.
(4) *Ibíd.*, pág. 229.

de la carencia de una constitución escrita al modo
continental significa que en ese país la libertad política
se considera como simple medio para la consecución
de unos fines individuales y sociales, es decir, como
algo secundario; 2) un antidoctrinarismo teórico que
incluye una variada gama de ideologías políticas, entre
las que se cuentan: *a)* las escuelas socialistas y comunistas, que exigen una acción positiva del Estado dirigida básicamente a la redistribución de la propiedad;
b) las doctrinas teológico-cristianas, que con su síntesis de Derecho-Estado-Iglesia, dan al Estado una finalidad trascendente y positiva, enlazada con la Edad
Media, la tradición y la historia, y *c)* el neoliberalismo,
escuela antidoctrinaria, que distingue entre el fin del
Estado y la forma de su organización, concediéndoles
el mismo valor—fórmula armónica—y estima que las
libertades políticas son formas vacías cuando no sirven
a los derechos individuales y sociales que son su fondo
y su sustancia, siendo otras de sus características importantes la distinción entre sociedad y Estado y su
tendencia a la descentralización; mas si bien esta doctrina ha planteado el problema, no lo ha resuelto por
falta de vuelos teóricos y de método; en ella pueden
incluirse a Stuart Mill, Lanfrey y Louis Blanc, entre
otros.

Todas las corrientes antidoctrinarias citadas, aunque
valiosas, no acabaron de dar, según Giner y Costa, una
respuesta satisfactoria a los problemas que plantearon;
esa solución, en cambio, la encontraron en la doctrina
krausista, que al reducir el Estado nacional a una posición coordinada respecto a los demás estados individuales, municipales, etc., y al dar una visión ética

del Derecho al servicio de fines trascendentes, consigue un equilibrio entre fines y formas, abarcando toda la sociedad en un sistema armónico. Hemos referido con alguna extensión las ideas de Giner, prefiriendo, además, hacerlo a base de la versión de Costa para mostrar la importancia que tuvieron en la obra del último y hasta qué punto pueden explicar sus aparentes contradicciones.

El examen de estas referencias requiere algunas previas consideraciones históricas sobre el doctrinarismo, escuela—si así puede llamarse—que ha sido olvidada por la mayor parte de los investigadores, como Ortega recordaba en el «Prólogo para franceses», de *La rebelión de las masas*. Para el estudio del doctrinarismo francés nos remitimos al libro de Luis Díez del Corral, *El liberalismo doctrinario* (Madrid, 1945), de quien recogemos un breve bosquejo del doctrinarismo español, ciñéndonos especialmente a la época de la Restauración.

Los orígenes de esta escuela han sido señalados en las actividades del grupo que fundó a principios del XIX la «Sociedad Española de Jovellanos», tratando de encontrar una vía media entre el extremismo de los doceañistas y el absolutismo. Esta corriente no adquiere consistencia ni influencia política hasta el Trienio Constitucional, al llegar a las esferas de gobierno, con Javier de Burgos y Martínez de la Rosa, e inspirar un movimiento ideológico que redactaría el Estatuto Real y que llevaría posteriormente a la creación del partido moderado. Este partido, atacado por los extremistas de todas las tendencias, contó entre sus teóricos a Andrés Borrego, y tuvo su gran figura política en Alcalá Ga-

liano. Quizá su más importante pensador sea Juan
Donoso Cortés en su primera época, la de sus lecciones
en el Ateneo. Para él, la soberanía se basa en la razón
y, como Alcalá Galiano, es partidario de un gobierno
de las clases medias, a las que consideraba representantes de la razón en la sociedad de su tiempo (5).

Bajo el gobierno de Narváez, los moderados redac-
tan la Constitución de 1845, siendo Donoso Cortés se-
cretario de la Comisión parlamentaria y autor personal
del dictamen que acompaña al proyecto presentado a
las Cortes. Los posteriores movimientos revolucionarios
dejan sin efecto estos intentos, de manera que el doctrinarismo no vuelve a adquirir importancia hasta la
Restauración. Cánovas, artífice de la política de este
período, no pretende crear un sistema orgánico de doctrina, sino que simplemente trata de adaptarse a las
situaciones de hecho del momento, justificándolas teóricamente con un criterio ecléctico. Es difícil, por tanto, clasificarlo como doctrinario, si bien coincide en
actitudes con los representantes franceses de esta dirección. «Todos ellos—según Díez del Corral—recono-
cen frente a las posturas radicalmente innovadoras la
necesidad de restaurar y mantener los principios de la
vida tradicional» (6). El mismo Cánovas, sin embargo,
unas veces se califica de doctrinario y otras rechaza
este título; incluso el valor de esta palabra varía dentro de su obra.

El aclarar hasta qué punto se puede incluir a Cánovas dentro del doctrinarismo o el delimitar la exactitud con la que Giner y Costa utilizan este término,

(5) LUIS DÍEZ DEL CORRAL, *El liberalismo doctrinario*, pág. 549.
(6) *Ibíd.*, pág. 542.

son problemas que caen fuera del ámbito de este trabajo. Lo que nosotros deseamos resaltar es que el krausismo basó su crítica de la política de la Restauración en considerarla como una monarquía doctrinaria; así lo hizo Giner en sus *Estudios jurídicos y políticos* (Madrid, 1875), y algo más tarde, Gumersindo de Azcárate, en *El «self-government» y la monarquía doctrinaria* (Madrid, 1877). Un resumen de la crítica krausista al doctrinarismo puede hallarse en el *Tratado de derecho político* (7), de Adolfo González Posada. Esta crítica ataca la posición de los doctrinarios frente al problema de la soberanía y la organización del Estado, ante el cual, en lugar de interpretar las realidades positivas de la Historia, se limitan a procurar la distribución formal de los poderes y a aceptar, mutiladas, las ideas de regímenes contradictorios. Es importante observar en este libro de Posada, cómo estas críticas contra la ideología de la Restauración, convertidas en doctrina semioficial del krausismo, se continúan en el siglo xx. Este antidoctrinarismo, que ataca por igual a todos los partidos turnantes, es el punto de partida del pensamiento político de Costa; el entenderlo así nos evita el confundir sus ataques al liberalismo doctrinario con una postura meramente antiliberal y contradictoria.

2. *Ideas sobre la dictadura y la revolución.*

Para entender la actitud de Costa hacia el problema de la aceptabilidad de la revolución, es preciso partir

---

(7) ADOLFO G. POSADA, *Tratado de Derecho político* (Madrid, 1922), I, 406. .

de su filosofía del derecho, que admite que el individuo pueda, a veces, no obedecer al legislador. Esta posibilidad viene determinada por dos principios teóricos:
1) las autoridades u órganos del Estado obran siempre
en virtud de una representación, no por poder propio;
pero esa representación sólo existe mientras cumplen
su fin, que es la realización de la justicia; 2) la actividad
jurídica es consecuente, libre y, por tanto, responsable
en todos y cada uno de los momentos del proceso.

Tanto las autoridades como los súbditos están obli-
gados a unos fines nacionales, de tal modo que toda
regla ataña a ambos y por ambos debe ser aceptada.
De la misma manera que la costumbre tiene que ser
revisada por el legislador o el juez, las leyes han de ser
revisadas por el súbdito, contrastándolas con la razón,

> y si encuentra que no es lícito en conciencia obe-
> decerlas sin infringir o lesionar un derecho, si el
> fin que en ellas se propone es malo, o siendo bue-
> no el fin son malos los medios, es deber en ellos,
> cuando menos, suspender el cumplimiento (8).

Es decir, la fuerza de las leyes no está en su pro-
mulgación, sino en su cumplimiento, de manera que
la tiranía no lo es tanto por promulgar malas leyes
como por intentar hacerlas cumplir. Para los casos en
que el legislador intente hacer cumplir una ley injusta,
Costa aconseja como primera providencia el incumplimiento por medio de la huelga política o administrativa. Si la situación injusta continúa, cree que se debe
llegar primero a una reivindicación teórica de la justicia. A esta petición sucede la protesta, primera voz de

---

(8)   J. Costa, *Teoría del hecho jurídico* (Madrid, 1883), pág. 240.

la revolución que, por fin, es admitida, debiendo en todo caso dirigirse contra el poder moderador: el Jefe del Estado.

> Revolución es la fuerza puesta al servicio del derecho enfrente de la fuerza puesta al servicio de la injusticia. El Derecho es objeto de sí mismo: la revolución es una de las formas que reviste el «derecho que tiene a defenderse el Derecho» (9).

Aunque con gran cantidad de precauciones y cortapisas y reconociendo los horrores de que suele ir acompañada, se admite la revolución. Por esos mismos horrores, cree Costa que el legislador debe prevenirla tomando una actitud progresiva y reformista. Esta idea sería la base teórica de su posterior petición de «una revolución desde arriba». Para justificar esta aceptación condicionada, hace un resumen histórico de las doctrinas a favor de la revolución en *La vida del derecho* y en la *Teoría del hecho jurídico*.

Durante su período de actividad política y respondiendo a exigencias de unidad lógica, principió pidiendo la revolución desde arriba, la protesta, la denuncia y el incumplimiento de las leyes, y acabó por pedir, en momentos de abatimiento, la revolución directa. A pesar de las diferencias que separan estas etapas, no se puede decir que fueron «contradictorias» sino diversas fases del desarrollo de una doctrina unitaria. En esos momentos de abatimiento pensó también en la dictadura, institución que, igualmente, como medida de excepción, tenía un puesto en su sistema.

_____

(9) *Ibíd.*, pág. 279.

El problema de la dictadura siempre le interesó vivamente. A él dedica una parte de *La vida del derecho* (pp. 265 y ss.), donde hace un estudio histórico de su justificación: por Aristóteles y por Platón, como medio de hacer aceptar al pueblo las leyes sabias; por San Agustín, como forma tutelar en momentos de depravación del pueblo, y por Maquiavelo, en los casos de Estados corrompidos. Su necesidad fue también reconocida por Rousseau, por positivistas y demócratas como Stuart Mill, y, especialmente, por la corriente doctrinaria en la que incluye, en España, a Donoso Cortés y Alcalá Galiano. Sin embargo, todas estas doctrinas que aceptan su necesidad no analizan suficientemente sus bases teóricas.

No tardaría Costa en enfrentarse de nuevo con este problema, como puede verse en su programa de derecho consuetudinario de 1887, que desgraciadamente no llegó a desarrollar y en el que incluye un capítulo dedicado a estudiar la dictadura. En él trata de las circunstancias que la hacen obligada como sucede en la decadencia, nacimiento y regeneración de los imperios y también de las situaciones que pueden hacerla ineficaz, en los casos de falta de vitalidad en que se ha aplicado tardíamente o en los casos de deficiente desarrollo inicial, cuando se ha aplicado de forma prematura. Es evidente de todos modos que Costa aceptó de manera teórica desde el primer momento la dictadura en casos excepcionales, y siempre como situación anormal y pasajera.

En todas sus formulaciones correspondientes a este período muestra una evidente influencia de la época doctrinaria de Donoso Cortés. En el trabajo que dedica a este autor en *Estudios jurídicos y políticos*, se detiene especialmente en este aspecto. Según Donoso Cortés, pueden darse casos en los que vemos diversos tipos de enfermedadas políticas: en unos Estados, las costumbres son puras y las leyes, viciosas, de modo que la revolución y la reforma son la solución; en otros, la sociedad está gobernada por leyes corrompidas y las instituciones son decrépitas, por lo que la única solución es la conquista por un poder extranjero; por último, cuando las leyes son benéficas y tutelares y las costumbres están degeneradas, se presenta la necesidad de la dictadura. Afirmaciones semejantes se hallan en Costa, quien en momentos de pesimismo pensó en una dictadura tutelar porque temió que la situación de España fuera tal que llegara a justificar la conquista por una potencia extranjera.

V

Las ideas sociales

1. La situación agraria.

El estudio de las ideas sociales de Costa requiere el análisis previo de varios factores. Entre ellos reviste especial importancia el de la situación de la agricultura española en el siglo XIX.

Se caracteriza este siglo por la tendencia dominante a reducir todos los tipos de propiedad a propiedad privada. Al comienzo de la centuria treinta millones de hectáreas pertenecían a las manos muertas, divididas entre bienes eclesiásticos y de órdenes militares, y bienes concejiles. Estos últimos comprendían, antes de la desamortización, 86.000 fincas rústicas y 21.000 urbanas; con las rentas que de ellas se obtenían cubrían los pueblos los gastos de ayuntamientos y, además, tenían los habitantes el aprovechamiento personal y gratuito de las tierras comunes, las cuales solían repartir, mediante sorteo, entre las familias más necesitadas del término, por lo que fueron llamadas «pan de los pobres». La extensión de estas tierras era superior a los cuatro millones de hectáreas (1).

Este tipo de propiedad colectiva en régimen de manos muertas no podía ser transferida o vendida y estaba, por tanto, al margen de la actividad comercial.

La propiedad individual se reducía a un tercio de la colectiva, pero incluso la gran mayoría de esta propiedad estaba vinculada a los mayorazgos, con lo que quedaba también fuera de comercio, de modo que la parte de la propiedad que entraba en el mercado era insignificante. Los bienes de manos muertas estaban en general mal cultivados y algún tipo de reforma parecía ineludible. A esta situación había que añadir la extensión de los despoblados y los excesivos privilegios de la Mesta.

Como resultado de las nuevas ideas y de la presión demográfica, este estado de cosas fue atacado duramente a lo largo del siglo XVIII por autores que pedían la privatización de la propiedad, dentro de una vuelta a la concepción romanista dominante en Europa. Dentro de esta línea el *Tratado de la Regalía*, de Campoma-

---

(1) La mayor parte de estos datos está tomada de *La historia social y económica de España y América,* publicada bajo la dirección de J. Vicéns Vives (Barcelona, 1959), IV-V. Véase sobre este tema: RAFAEL ALTAMIRA Y CREVEA, *Historia de la propiedad comunal* (Madrid, 1890), y GUMERSINDO DE AZCÁRATE, *Los latifundios* (Madrid, 1905). Para encuadrar las polémicas y reformas agrarias del XIX español en un marco europeo, véase E. HOWSBAWN, *Las revoluciones burguesas* (Madrid, 1964); este autor afirma: "En esos regímenes [España, Sicilia, Italia Meridional] la revolución legal había venido a reforzar el viejo feudalismo con uno nuevo que en poco o en nada beneficiaba a los pequeños adquirentes y a los campesinos" (pág. 197).

nes, y el *Informe*, de Jovellanos, crearon las bases teóricas para una acción que comenzó ya en 1795.

Las Cortes de Cádiz, aceptando el sentido individualista del *Informe* de Jovellanos, decretaron en 1812 la expropiación de las posesiones de conventos extinguidos y del Santo Oficio, atacando también los bienes municipales y comunales. A este decreto siguieron varios otros que modificaron los demás tipos de propiedad. Frente a esta doctrina que tendía a convertir toda propiedad en individual se opusieron inútilmente los partidarios de la forma comunal tradicional; así lo hicieron en el XVIII Floridablanca, Aranda y Olavide, y en el XIX Salazar y Orense.

Todos los decretos de Cádiz fueron derogados en 1814 por Fernando VII. Sin embargo, la presión era tan fuerte que incluso durante el absolutismo se dieron las disposiciones de 1818 y 1819 favoreciendo la venta de baldíos.

El trienio liberal aportó reivindicaciones de un reparto de tierras con sentido de justicia social; como consecuencia se dio un decreto en 1820 por el que la mitad de las tierras baldías y de realengo se habían de vender en el mercado libre y la otra mitad debería ser repartida entre veteranos y vecinos pobres. Pero estas medidas no se llevaron a cabo a pesar de que se empezaban ya a registrar disturbios campesinos.

El retorno definitivo de los liberales trajo como resultado la desamortización de Mendizábal en 1837 por la que se declararon propiedad nacional los bienes de las comunidades e institutos religiosos, que se ordenaron sacar a pública subasta. Al mismo tiempo se intentó que estas tierras pasasen a los labradores medios, para lo cual se establecieron algunas facilidades de pago, si bien la prisa en la venta y el clima de guerra civil dejaron sin efecto estas buenas intenciones. El proceso desamortizador fue detenido en 1845 por los moderados, temerosos de conflictos con la Iglesia; pero la vuelta de los liberales puso de nuevo el proceso en marcha con la ley de Pascual Madoz de 1855, que proclamaba la desamortización general de las posesiones eclesiásticas y comunales. Se quiso también que el precio de la venta de los bienes municipales pasara a los pueblos en forma de títulos de la deuda; de hecho, estos títulos fueron enajenados, arruinándose así la mayor parte de los municipios y dejando sin medios de vida a un amplio sector de labradores modestos que trabajaban los patrimonios comunales.

Las consecuencias de la desamortización fueron saludables desde el punto de vista económico, al aumentar enormemente la extensión de las tierras en cultivo; sin embargo, falló el intento de beneficiar al labrador modesto. El Estado necesitaba el dinero de las ventas de una manera angustiosa y vendió a las únicas clases sociales que podían pagar las tierras expropiadas: la burguesía y la aristocracia; esta burguesía, que por esta compra se hizo anticarlista, contribuyó al fin de las guerras civiles (2). El resultado de esta venta marcó el futuro de la historia social de España y sus consecuencias llegan a nuestros días; los ricos aumentaron su riqueza y los pobres vieron su situación notablemente empeorada al sustituirse los antiguos contratos de arrendamiento a largo plazo, casi equivalentes a una propiedad

---

(2) GERALD BRENAN, *The Spanish Labyrinth* (Cambridge, 1960), página 44.

de hecho, por otros en términos mucho más desfavorables. La estructura de la agricultura española polarizada en latifundios y minifundios deriva en gran parte de la desamortización y se debe a ella también la creación de un proletariado rural miserable dispuesto a aceptar cualquier ideología revolucionaria. Lo que debía haber sido una reforma agraria con sentido social se convirtió en una simple operación financiera del Estado.

Viñas compara este proceso con el francés, que siguió directrices completamente diferentes a pesar de aceptar también unos principios individualistas. Se ha llamado primera revolución francesa a su momento puramente jurídico y burgués, cuando los bienes de la aristocracia y el clero sirvieron únicamente para dar base económica a los asignados. Pero a este primer momento siguió la llamada segunda revolución, de contenido social; en ella las opiniones de Robespierre y de las *Institutions Republicaines* de Saint Just triunfaron y dieron lugar a las leyes de 5 de Brumario (26 octubre 1793) y 17 Nivoso (17 enero 1794) destinadas a favorecer al campesino pobre. El decreto de 13 de septiembre de 1793 disponía la venta de las tierras a ciudadanos no contribuyentes por 500 libras pagables en veinte anualidades sin interés. De la aplicación de estas medidas surgieron seis millones de propietarios que se convirtieron en la base más firme de las instituciones democráticas (3).

El diferente carácter que tuvo la desamortización en España privó al régimen liberal del apoyo del campesi-

_____

(3) CARMELO VIÑAS, *La reforma agraria en el siglo XIX* (Santiago de Compostela, 1933), págs. 1-30.

nado, que lo consideraba usurpador de sus derechos. Como consecuencia, numerosos disturbios en las zonas rurales del sur y levante jalonan la historia del siglo XIX, mientras en el norte, donde pudo sobrevivir un cierto número de pequeños propietarios y se conservaron algunas formas de propiedad comunal, los campesinos engrosaron las filas del carlismo, un carlismo que les ofrecía la defensa de su forma tradicional de vida frente al liberalismo centralista y desamortizador. Todos estos hechos son claves para comprender a Costa, que atacó con extraordinaria dureza la desamortización y dedicó una parte importante de su obra a intentar corregir sus errores.

2. *Los movimientos obreros.*

Otro de los elementos que hay que tener en cuenta para explicarnos las ideas sociales de Costa es la irrupción en España de los movimientos socialistas y revolucionarios, cuyo peso se hizo sentir fuertemente en la última década del XIX. Las primeras manifestaciones de movimientos obreros tienen lugar en Barcelona durante el trienio liberal y adquieren una cierta importancia tras la Real Orden de 28 de febrero de 1839, que autorizaba las sociedades con fines benéficos. En 1840 la actividad de José Muns cuajó en la creación de la Asociación Mutua de Obreros de la Industria Algodonera. Tras el paréntesis del gobierno moderado que redujo a la clandestinidad esta asociación, la «Unión de Clases», dirigida por el tejedor Barceló, intentó en 1855 el reconocimiento jurídico; pero una serie de disturbios llevaron a su prohibición y al fusilamiento de su jefe. Estos disturbios coinciden con los levantamientos campesinos de Andalucía, especialmente a partir de 1855; durante ellos los rebeldes llegaron a ocupar zonas extensas del valle del Genil, siendo reprimidas las sublevaciones con enorme dureza (4).

Las asociaciones obreristas continuaron existiendo de un modo más o menos clandestino hasta que la revolución del 68 las confirió pleno reconocimiento legal. Aunque preparadas teóricamente por Pi y Margall, que propagó las ideas de Proudhom y Ramón de la Sagra, es a partir del 68 cuando estos grupos adquieren conciencia política y pretensiones ideológicas, conectándose con los movimientos internacionalistas. Importante en este contacto es el viaje a España de Fanelli, que propagó las ideas de Bakunin, recibidas entusiásticamente en Andalucía y Cataluña. La recién creada Alianza Española de la Social Democracia, relacionada con la Primera Internacional, celebró un congreso en el Ateneo Obrero de Barcelona en 1870. Pronto en el seno de la Alianza se reflejaron las diferencias entre los partidarios de Marx y los partidarios de Bakunin; esta división fue impulsada por la visita a Madrid de Paul Lafargue, yerno de Marx, en 1870. La Internacional se escindió definitivamente en 1872, cuando Marx, en el Congreso de La Haya, logró la expulsión de los bakuninistas. Los expulsados se reunieron en Saint Imier y fueron respaldados por la mayor parte de los miembros

---

(4) Un buen resumen de la historia de los movimientos obreros en España se puede encontrar en BRENAN, *op. cit.* Véase también ANSELMO LORENZO, *El proletariado militante* (Barcelona, 1901-1923), FRANCISCO MORA, *Historia del socialismo* (Madrid, 1902) y J. VICÉNS VIVES, *op. cit.*, V.

españoles de la Alianza que, para tomar esta decisión, habían celebrado un congreso en Zaragoza (5).

Estos bakuninistas continuaron su expansión, especialmente a partir de 1881, cuando formaron la Federación de Trabajadores de la Región Española, suprimida en 1888, pero que continuó bajo diversas formas.

Los autoritarios—como se llamaba a los seguidores de Marx—, centrados en Madrid, fundaron en 1879 el Partido Democrático Socialista Obrero, que contó como órgano con el periódico *El Socialista* a partir de 1890. Su fuerza radicaba en el centro y norte de España, siendo especialmente importantes sus actividades a partir de 1890.

El gobierno de la Restauración—una oligarquía cuya única política era el mantenimiento a todo trance del *status quo* económico-social—ante los problemas planteados por las reivindicaciones proletarias se había limitado a nombrar una comisión para el estudio de las cuestiones que interesaban a la mejora o bienestar de las clases obreras, dirigida por Cánovas, que comenzó a trabajar en 1883; su labor fue meramente informativa. El gobierno continuó fiel a la política del *laissez faire*, a pesar de que las circunstancias del siglo parecían exigir la adopción de posturas menos rígidas. En pocas épocas las concepciones de la propiedad, el trabajo, las relaciones patronales y la misma estructura de la sociedad cambiaron tanto ni fueron tan combatidas desde puntos de vista tan distintos como a lo largo del siglo XIX. La propiedad pasa en su primera mitad de co-

---

(5) Un interesante estudio sobre las divergencias entre marxistas y bakuninistas, bajo el título "Los bakuninistas en acción", puede encontrarse en CARLOS MARX, *La revolución en España* (Madrid, 1961).

lectiva a individual, llegando a ser considerada sagrada y uno de los derechos básicos del hombre; mientras que en su segunda aquélla es atacada por los nuevos movimientos anarquistas y socialistas en los mismos fundamentos de su existencia.

Esta actitud incomprensiva del gobierno pudo ser mantenida sin mucho peligro durante la expansión económica de la primera década de la Restauración, pero el cambio de coyuntura y las sucesivas crisis agropecuarias produjeron a fin de siglo una situación explosiva.

3. La doctrina krausista de la propiedad.

Costa, consciente de la fuerza de estos problemas, sintió la necesidad de una revisión de la idea romanista de la propiedad tal como la defendían los políticos de la Restauración; para ello contaba como punto de partida con la doctrina krausista, que modificaba la actitud ultraindividualista vigente, aunque él habría luego de llegar a posiciones mucho más avanzadas.

La privatización de la propiedad, tal como se llevó a cabo en las Cortes, tenía como base la concepción romana de dominio absoluto sin ninguna clase de límites; el dueño podía incluso destruirla a capricho. Artola (6) recoge varias intervenciones de diputados—algunas bastante pintorescas—en las que se proclama entusiástica y radicalmente el *ius utendi et abutendi* quiritario.

Los krausistas se preocuparon de distinguir entre

_____

(6) M. ARTOLA, *Los orígenes de la España contemporánea* (Madrid, 1959).

propiedad y derecho de propiedad, basando aquélla en la naturaleza humana. Así, Giner escribía en 1867:

> El *yo* es propio de sí en su unidad, y la sostiene en sus diversas relaciones (interiores, como exteriores y compuestas) refiriéndolas constantemente a sí mismo (como principio regulador de todas); y entre ellas, por tanto, las inmediatas con su cuerpo, y, mediante éste, con la naturaleza y los individuos contenidos, para la realización del orden absoluto y fin correspondientes de ambos extremos: el ser racional-humano en cuanto unido al mundo sensible, y éste en cuanto unido a aquél, según conocimiento, régimen y cultivo del segundo por el primero. Tal es el fundamento y concepto de la propiedad del hombre sobre las cosas materiales (7).
>
> Mira inmediatamente al bien humano y al bien natural, en su respectiva unión y concordancia, y superiormente al cumplimiento de las relaciones que en el organismo de los seres tienen asignados la Humanidad y la Naturaleza. Por esto es verdaderamente *sagrada* la propiedad, como fundada en Dios mismo y en su suprema ley, eterna e indestructible sobre todo particular tiempo y mudanza, y bien lo reconocieron aquellos pueblos que, pidiendo a la religión la sanción de este augusto carácter (8).

Para el krausismo la propiedad es, pues, algo sagrado que está fuera de discusión. Ahora bien, esta propiedad es un medio, no un fin en sí misma; mira al bien humano y al bien natural, y tiene, por tanto, un fin concreto dentro del organismo de los seres. No puede

---

(7) Francisco Giner, "Bases para la teoría de la propiedad", en *Estudios jurídicos y políticos* (Madrid, 1875), pág. 13.

(8) *Ibíd.*, pág. 12.

por ello el individuo abusar de ella tal como predicaba
la doctrina individualista. A este respecto Giner escribía en 1899:

> La mesocracia actual ha dado a la riqueza un
> valor sustantivo y, por decirlo así, abstracto;
> considerándolo, no como tales medios con respec-
> to a los fines racionales humanos, ni en relación
> con su origen y título de adquisición, sino con un
> fin peculiar, como un bien en sí y por sí mismo:
> la propiedad por la propiedad (9).
> El más grave y trascendental de cuantos erro-
> res imperan aquí todavía es el de considerar el
> derecho del propietario como una mera facultad
> muda, subjetiva y arbitraria, sin obligación corres-
> pondiente (10).

La mayor parte de los ataques que se dirigieron a la
propiedad por parte de los socialistas y anarquistas se
basaban en considerar que era un simple producto de
unas circunstancias históricas determinadas, y que debía de ser superada o destruida al modificarse esas mismas circunstancias. El krausismo básicamente se opo-
nía a estas doctrinas y de ahí su interés en subrayar la
base ontológica de la propiedad, colocándola así al margen de las vicisitudes históricas. Ello significaba que el
Estado no era su creador y, por tanto, no podía modi-
ficarla.

> Pero así como el Estado es impotente para crear
> la propiedad, sólo mediante arbitrariedad y vio-
> lencia puede intentar destruirla o siquiera modifi-
> carla. Cuando a esto se atreva, cuando pretenda

_____

(9) FRANCISCO GINER, *La persona social* (Madrid, 1924), II, 198.
(10) FRANCISCO GINER, *Resumen de la filosofía del Derecho*
(Madrid, 1926) II, 119.

poner las manos en la obra de Dios y destrozarla para acomodarla a fines históricos, no sólo es sacrílego, sino insensato (11).

El único deber del Estado con respecto a la propiedad es reconocerla como derecho.

Las diversas asociaciones humanas son organismos autónomos con unos fines precisos; por tanto, tienen derecho a poseer, sin que este derecho sea creación del Estado, como en buena parte de la legislación individualista ocurre, bajo la ficción de persona jurídica. Esta ficción es insostenible; las asociaciones son organismos sustantivos y el Estado debe simplemente reconocer su derecho, no crearlo.

Dentro de la teoría krausista, una postura que pudiéramos llamar más «izquierdista» es defendida por Gumersindo de Azcárate. En su *Ensayo sobre la historia del derecho de la propiedad* (1879), sostiene que todo problema que toca a la vida social tiene un hecho como punto de partida y un ideal al que acercarse. Estos dos aspectos son estudiados respectivamente por la Historia y la Filosofía. Antes, los conservadores en política acudían para justificar sus posiciones a la Historia, y los revolucionarios a utopías ahistóricas. Sin embargo, cuando Azcárate escribe, tanto socialistas como conservadores acuden únicamente a la Historia. Esto encierra un grave peligro: el reducir los cimientos de la sociedad al relativismo histórico.

que lleva consigo la tendencia positivista; porque este regreso al estudio de la Historia y este afán por los estudios experimentales... significa la des-

---

(11) Francisco Giner, *Bases...*, pág. 31.

estima y la anulación de los principios, la pretensión de sustituir la Filosofía con la Historia, empeño que es y será siempre un imposible. En la Historia no podemos jamás hallar el ideal, el principio que nos autorice para decir: «Esto es bueno o esto es malo, esto es justo o es injusto» (12).

Lo que podemos ver en la historia es el derecho de propiedad, es decir, solamente las formas históricas por las que el Estado la ha reconocido; porque la propiedad en sí es invariable.

Estudia y acepta Azcárate la propiedad comunal y ataca duramente la desamortización por su criterio individualista. Con una actitud más avanzada que la de Giner, admite la intervención del Estado en algunos casos para modificar el derecho de propiedad.

El predominio del sentido individualista, junto con el concepto abstracto de la libertad, considerada con frecuencia como fin y no como medio, ha conducido a atribuir al individuo la facultad de ejercitar sus derechos y, por consiguiente, los referentes a la propiedad, todo lo arbitrariamente que quiera, incurriendo en el error de suponer que, no pudiendo ni debiendo intervenir el Estado con ocasión del abuso, nada cabía hacer para prevenirlo o remediarlo (13).

Sin embargo, la principal fuerza para devolver la propiedad a su justo uso es la opinión pública, dentro de un eticismo bastante ingenuo.

La teoría krausista, como vemos, representa un inten-

---

(12) GUMERSINDO DE AZCÁRATE, *Ensayo sobre la historia del derecho de propiedad* (Madrid, 1879), I, XV-XVI.
(13) *Ibíd.*, III, 267.

to de superación del problema. Entre la doctrina individualista que considera la propiedad como un derecho
absoluto, sin límites ni obligaciones, y la socialista que
la niega, reduciéndola a un simple producto histórico,
el krausismo la juzga eterna e inviolable, pero al mismo
tiempo sujeta a obligaciones y deberes.

4. *Las doctrinas de Henry George.*

A esta base doctrinal krausista se añadieron otras influencias en la evolución del pensamiento de Costa. Una
de ellas es la obra del norteamericano Henry George,
principalmente el libro *Progress and Poverty* (New
York, 1877). Este libro, escrito en un momento de depresión industrial y de conflictos laborales, pretende
dar una solución al problema—entonces de candente
actualidad—de encontrar una justificación al fenómeno de la disminución de salarios que seguía al incre-
mento de producción industrial. Entre las respuestas
que se ofrecieron, una de las más aceptadas fue la de
Malthus, para quien el capital apartaba un tanto fijo
para salarios, y un aumento de producción significaba
únicamente el tener que dividir ese tanto fijo entre un
mayor número de obreros, con la consiguiente disminución de las partes a repartir. Ni esta solución, ni las
explicaciones de los socialistas, satisficieron a George,
que centró en cambio su atención en otro aspecto del
proceso económico, preguntándose por qué con el aumento de producción y de la actividad social aumenta
el precio de la renta de la tierra. Como razones de este
fenómeno señala: *a)* El aumento de población, ya ob-

servado por Ricardo: hace falta más tierra y la demanda aumenta la renta. *b)* El mejoramiento de los métodos de producción: al ahorrar trabajo se pueden aumentar las superficies de cultivo y la tierra aumenta su valor; y *c)* La especulación.

Como se puede ver, todas estas razones tienen de común que la renta sube cuando, por cualquier causa, hay una especial necesidad de tierra; la tierra en sí no tiene ningún valor, sólo lo adquiere al ser objeto de trabajo humano.

Para George, la causa que origina el que, a pesar del aumento del poder productivo, los salarios bajan a un mínimo, es que con ese aumento los arrendamientos rústicos tienden a subir todavía más, forzando la bajada de salarios. Esto ocurre por no ser la renta un valor creado por un trabajo productivo o por una contribución a la riqueza, sino simplemente una consecuencia de la falta de tierra, debida a estar ésta sometida al régimen de propiedad privada. El dinero que el campesino paga al dueño de la tierra no contribuye a la producción, y, sin embargo, ha de ser incluido en el precio de los productos. Por ello, los beneficios que pudiese reportar al hombre el aumento en la producción están interceptados por el latifundismo, y persiste y aumenta la pobreza en medio de una creciente riqueza.

Esta teoría, que hoy nos parece bastante simple, sirvió a George para dar una explicación unitaria de todos los procesos económicos, que tenían así una sencilla solución: hacer de la tierra una propiedad común. No se predica, sin embargo, su nacionalización o ningún tipo de copropiedad, sino algo diferente y original, no es necesario abolir la propiedad privada de la tierra; los mismos efectos se producen sin cambiar el sistema existente nacionalizando la renta. Esto quiere decir la abolición completa de toda clase de pago a cualquier propietario individual y la transferencia íntegra de ese dinero al Estado. Esta renta ha de ser recogida en la forma de un impuesto único que permitiría abolir todos los demás, calculando sobre el valor de la tierra, pero no de sus productos.

Para George, la absoluta seguridad del cultivador de beneficiarse del producto íntegro de su trabajo representaría suficiente incentivo, superior al que ofrecería un sistema socialista. No es ésta la única diferencia que le separa del socialismo; para él, la fuente de la opresión del obrero es la propiedad privada de la tierra; mientras que para un socialista lo es la propiedad privada del capital; la propiedad de la tierra es un mal, pero no algo básico. El terrateniente no es sino un tipo más de capitalista, y la propiedad de la tierra un tipo más de posesión de los instrumentos de producción.

Las teorías de Henry George tuvieron una rápida expansión en todo el mundo anglo-sajón y fueron vinculadas a varios movimientos políticos (14). El número de ejemplares de *Progress and Poverty*, en lengua inglesa solamente, se ha calculado entre dos y siete millones y en Inglaterra ha sido el libro que más se ha impreso después de la *Biblia*. En España se editó en Barcelona en 1893. Aunque no conocemos ningún estudio sobre la influencia de este pensador, se puede señalar la apari-

_____

(14) Para la exposición de las teorías de George hemos seguido las obras de G. GEIGER, *The Philosophy of Henry George* (Nueva York, 1933), y C. FILLEBROWN, *Thirty Years of Henry George* (Boston, 1915).

ción del periódico *El impuesto único,* y de los libros *Henry George. Su vida y doctrinas,* de Baldomero Argente, y *La doctrina del impuesto único de Henry George,* de Manuel Reventós; además, claro está, de la huella que dejaron sus ideas en Costa, si bien más que de una influencia directa se puede hablar de una coincidencia de posiciones.

5. *Estudios sociales.*

La preocupación de Costa con los problemas sociales es tanta que es difícil seleccionar algunos títulos de obras que traten de este asunto; prácticamente hay alusiones a él en toda su producción. Cabe, sin embargo, diferenciar dentro de su obra la parte que estudia aspectos parciales del problema, de aquéllas en que intenta una visión sintética y sistemática que pudiera ofrecer soluciones para todos los casos.

Dentro del primer grupo podríamos clasificar sus trabajos sobre las pervivencias consuetudinarias de propiedad colectiva. Para estos estudios contaba con el bagaje de su experiencia vivida de los restos de formas comunales en el Alto Aragón, reliquias que resistieron la desamortización y que estudió amorosamente, buscando para ello la colaboración de otras varias personas. Estos trabajos los fue coleccionando en sus importantes obras de derecho consuetudinario. Predica y exalta Costa las ventajas de estas instituciones: huertos comunales, comunidades de pastos, etc., por la solución que representaban para los pobres, impidiendo la existencia de desheredados, de hombres que habían perdido todas sus posesiones y habían quedado con la única po-

7   97

sibilidad de vender su trabajo al precio que quisieran pagárselo. Fue el conocimiento de estas formas consuetudinarias lo que le llevó a tomar una dolorida conciencia de los males que habían representado para España la desamortización, contra la que formuló terribles invectivas a lo largo de toda su obra.

Se puede ver lo profundamente que se armonizaron en Costa las principales influencias que recibió. Al fondo prejudicial y vivido del hijo de unos campesinos, originario de una zona donde seguían vivas las tradiciones de la vieja democracia rural colectivista de España, se unió la formación krausista defensora de la propiedad como sujeto de obligaciones que no aceptaba el *ius utendi et abutendi,* y estos dos factores no recibieron sino un impulso nuevo en las teorías de la escuela histórica de respeto a la tradición y desconfianza del Estado. En realidad, todos los influjos doctrinales posteriores no hicieron sino ayudar a fundamentar teóricamente las experiencias, impulsos y sueños de su edad juvenil.

La consecuencia lógica de sus investigaciones era la necesidad de restablecer alguna forma de propiedad colectiva en todas aquellas partes donde el doctrinarismo de las Cortes de Cádiz la había destruido. Para ello convenía llegar a una formulación más sistemática y coherente de los principios que había señalado en sus trabajos sueltos; esto se hacía más urgente por la creciente presión que los movimientos obreros representaban, ofreciendo soluciones radicales a los problemas sociales y haciéndolo, además, desde claras bases teóricas.

Esta necesaria labor de sistematización la realizó parcialmente Costa en la última década del siglo. Elementos importantes se encuentran ya en sus obras *Agricultura armónica*, *Política hidráulica*, *El arbolado y la patria*, y especialmente en *La tierra y la cuestión social*. Pero los más serios intentos de estructuración son *Colectivismo, comunismo y socialismo en el derecho positivo español*, publicado en 1895, y *Colectivismo agrario en España*, de 1898.

El primero lleva como subtítulo «Ensayo de un plan» y no es sino un programa que no llegó a desarrollar por completo. Hay que tener en cuenta que, semánticamente, colectivismo, comunismo y socialismo no se corresponden con las acepciones actuales de esas mismas palabras. Según parece, para Costa colectivismo sería equivalente a socialismo científico, comunismo equivaldría más o menos a socialismo utópico y socialismo a un socialismo parcial del Estado. Sin embargo, la terminología no es muy clara (15).

El programa consta de una introducción, justificando la necesidad de estos estudios y estableciendo las fuentes. Sigue una serie de apartados en los que estudia el colectivismo y el comunismo, doctrinas actuales y precedentes en España desde el siglo XVII, y continúa con una relación de instituciones comunitarias: bienes y trabajo en común, industrias estatales, comercios nacionalizados, derecho al trabajo, formas de comunismo y colectivismo total, y participación en los beneficios. En un segundo apartado estudia el socialismo del Estado, entendiendo por tal la disposición

---

(15) Hasta que en 1921 se fundó el Partido Comunista Español, al plantearse el problema de la adhesión de los socialistas a la III Internacional, no se usó el término comunista en su acepción actual.

por su parte de la propiedad privada y concejil, la tutela de mayores, el seguro y las reglamentaciones del trabajo, y la desigualdad ante la ley, terminando con un epígrafe sobre el cambio de régimen, donde estudia los métodos para la transformación de los sistemas de propiedad, tanto legales como por vía de la revolución social.

Las fuentes que utiliza son las costumbres económicas actuales; los fueros, leyes y códigos; los estatutos y ordenaciones municipales; diplomas, debates y peticiones de Cortes, y la información pública sobre reformas sociales de 1883. En su busca de antecedentes llega a los tiempos prerromanos de la península.

Este folleto, aparte de que ofrece en sí una importantísima relación de fuentes, nos es útil para mostrarnos la gran amplitud y ambición de su proyecto. En todo caso, es un trabajo preparatorio que pide una segunda parte donde se exponga de manera sistemática la doctrina del autor.

6. *Colectivismo agrario.*

Lo más cercano a una sistematización de las doctrinas sociales de Costa es su libro *Colectivismo agrario en España,* uno de los más importantes de su tiempo; con razón su importancia ha sido comparada por Hans Jeschke (16) a la de la obra de Menéndez y Pelayo, dentro del panorama general de la cultura española. Consta de dos partes a las que corresponde el subtítulo «Doctrinas» y «Hechos». Una tercera parte, «Crí-

---

(16) HANS JESCHKE, *La generación del 98* (Madrid, 1954), página 36.

tica», nunca se llegó a publicar. De estas dos partes la más importante es la primera; el material de la segunda había sido ya en buena parte publicado en anteriores trabajos de derecho consuetudinario.

Comienza el libro con un resumen de la doctrina de George. No parece aventurado afirmar que fue el éxito fulminante de *Progress and Poverty* lo que influyó decisivamente en la elaboración de este libro. A estas ideas añade las de A. R. Wallace, que pedían una efectiva nacionalización de la tierra, si bien exigiendo del Estado el pago al propietario, a sus hijos y a sus nietos de una renta igual a la renta que percibían en el momento de la nacionalización. De acuerdo con su sistema favorito de estudiar los precedentes españoles de las nuevas ideologías europeas, Costa expone a continuación las teorías de Flórez Estrada, que en su obra *La cuestión social* (1839) se adelantó a George, y partiendo de ese punto básico de referencia, emprende el estudio de los orígenes de la Sociología en España (17).

A pesar del precedente que significó fray Alonso de Castrillo, los orígenes de las ciencias sociales en España hay que buscarlos en las figuras de Juan Luis Vives, especialmente en su obra *De subventione pauperum*, y Juan de Mariana en su libro *De rege et regis institutione*. Son estos dos tratados auténticas cumbres de nuestro pensamiento social, en las que las conclusiones prácticas van unidas a una profunda fundamentación teórica, basada en una interpretación de la natura-

---

(17) Luis Legaz Lacambra señala la imprecisión de Costa en el empleo de este término en "El pensamiento social de Joaquín Costa", *Revista Internacional de Sociología*, XVIII (1947), págs. 335-355.

leza humana, las relaciones sociales y las relaciones del hombre con el mundo. Los dos autores llegan en el orden económico-social a establecer limitaciones al derecho de propiedad privada. Vives pide que la sociedad intervenga en un reparto periódico para restablecer una primitiva distribución de las tierras, y Mariana concluye que la acción coactiva del Estado debe imponer la caridad cristiana.

Otro tipo de autores estudiados es el que, bajo el impacto producido en los españoles por las instituciones indígenas americanas, llegan a considerar el comunismo peruano como el ideal humano, bien diferente de la corrompida sociedad europea. En estos términos escribieron el jesuíta Acosta, Polo de Ondegando y Murcia de la Llana.

Las doctrinas colectivistas van perdiendo a lo largo del siglo XVII la atrevida teórica que tenían en un Mariana o un Vives, y se reducen a una búsqueda de arbitrios y soluciones prácticas para una situación agrícola que empeoraba rápidamente. A estas características corresponden los escritos de autores como Pedro de Valencia, que pedía la nacionalización de la tierra a cambio de una pequeña pensión del Estado para los latifundistas expropiados; Caxa de Leruela, partidario de la sustitución del régimen agrícola por uno ganadero nacionalizado, y González de Cellórigo que pide al Rey una redistribución de la propiedad.

En términos semejantes se expresan varios escritores del siglo XVIII, si bien en este siglo tienen más interés las grandes informaciones agrarias, entre las que destacan la *Información sobre la crisis agrícola y pecuaria de Extremadura*, de 1771, que recoge opiniones de Floridablanca y Campomanes, entre otros, así como el *Informe para una ley agraria* (1784) y el *Informe de la Sociedad Económica de esta Corte al Real y Supremo Consejo de Castilla en el expediente de la ley agraria* (1795), de Jovellanos. En estas informaciones, la opinión de casi todas las personalidades y organismos consultados es unánime en pedir, con mayor o menor extensión, el establecimiento o conservación de algún tipo de limitación al ejercicio de la propiedad privada. La importante excepción es Jovellanos, que llama a las opiniones anteriores «extravíos de la razón y el celo», y frente a ellas sólo se interesa en aumentar la riqueza pública, dentro de un criterio rigurosamente individualista, sin preocuparse de la distribución que esa riqueza habría de tener. Recoge Costa una carta de Jovellanos a Antonio Ponz, que cree posterior al *Informe*, en la que rectifica las opiniones expresadas en él. Sufre un error: la carta es, en realidad, anterior lo que hace pensar que Jovellanos no reflejó en el *Informe* su propia opinión (18).

La polémica se continúa con las discusiones sobre la desamortización en las Cortes de Cádiz, donde triunfó el criterio de Jovellanos. Solamente Francisco Gómez, diputado por Sevilla, defendió como más racional y necesaria la propiedad colectiva.

La conclusión que saca Costa es amarga:

> Conforme a la doctrina de Flórez Estrada y de Henry George..., la reforma política depende en absoluto de la reforma social, y más determinan-

---

(18) Debemos esta observación a Gonzalo Anes, que prepara un estudio sobre este aspecto de Jovellanos.

temente, de la socialización de la propiedad del suelo, el fracaso de las leyes españolas de 1813 y 1822, que llamaban al goce de la tierra a todos los ciudadanos, llevaba consigo el fracaso entero de la revolución (19).

Se refiere aquí al tímido decreto de 4 de enero de 1813, que, si bien, como propiedad privada, establecía el reparto de la mitad de los terrenos baldíos o realengos y de propios y arbitrios a los veteranos de la guerra de la Independencia y de las campañas coloniales y a los vecinos que careciesen de tierras, y a la ley similar de 1822 a la que nos referimos antes. Desgraciadamente, ni aun esto se llevó a la práctica.

De la exposición de todas las doctrinas anteriores, deduce Costa la existencia de una escuela colectivista española que carece de paralelo en ningún otro país europeo durante esos siglos; escuela que:

se acaudalaba con todos los manantiales nacionales, propios y asimilados, la teología y la filosofía jurídica, la economía y la historia patria, las costumbres y ordenanzas municipales, los padres de la Iglesia, las constituciones de la Antigüedad clásica y las de Nuevo Mundo; que estalla en una explosión magnífica en los días de Carlos III y de su sucesor en el trono; y encuentra inesperados obstáculos en la política exterior, y choca con tan formidable valladar como Jovellanos y las Cortes de Cádiz; y se reaviva con fomentos de fuera, para renacer, a través de dos revoluciones, consciente ya de sí, en el centro mismo de la economía libe-

---

(19) JOAQUÍN COSTA, *Colectivismo agrario en España* (Buenos Aires, 1944), pág. 156.

ral y ortodoxa, vestida con la fórmula «nacional», última palabra del colectivismo agrario de nuestro tiempo, en el «Curso» de Flórez Estrada (20).

Las notas comunes que señala a los pensadores de la escuela española son: *a)* todos intentan de alguna forma sustraer la propiedad al dominio del derecho privado, y reclaman alguna intervención del Estado, con independencia de las voluntades individuales, en la regulación de la producción y distribución de la riqueza; *b)* la ausencia, con raras excepciones, de partidarios de un comunismo integral al modo platónico; éste tiene en cambio muchos enemigos que lo atacan basándose en las debilidades propias de la naturaleza humana; *c)* el agrarismo; aunque excepcionalmente algunos autores han propugnado algún tipo de industria o comercio colectivo, es la propiedad de la tierra la preocupación primordial; *d)* en casi todas las doctrinas, el pleno dominio de las tierras queda en gran parte conferido al Estado o concejo, transfiriéndose a los particulares sólo el dominio en calidad de enfiteutas o arrendatarios. En cuanto a los bienes repartidos procedentes de propiedad particular, no hay, en general, real expropiación y el dueño conserva un título que generalmente no es sino una figura teórica al transmitirse el dominio útil a perpetuidad. Casi siempre se establece algún tipo de indemnización, muchas veces pagada en forma de renta. Sin embargo, a veces, se piden nacionalizaciones parciales, en términos que se asemejan a los señalados por A. R. Wallace.

_____

(20) *Ibíd.*, pág. 171.

Sobre la forma de aplicación del principio colectivista hace Costa la siguiente clasificación de las teorías que estudia:

1) Disfrute mancomunado de los pastos por todo el vecindario, y sorteo periódico de tierras de labor divididas en suertes (Pedro de Valencia, Floridablanca, etc.).

2) Constitución de suertes permanentes y fijas para todos los cultivadores, cedidas en censo enfitéutico, inalienables, indivisibles e inacumulables (Olavide, Campomanes, etc.).

3) Acensuamiento o arrendamiento forzoso de las tierras privadas a perpetuidad mediante un pago (Junta General de Comercio, Pérez Rico, Corregidor de Badajoz).

4) Arrendamiento por el Estado de tierras públicas y privadas después de nacionalizar éstas por compra (Romero del Alamo, Flórez Estrada, etc.).

Se queja Costa de que después de Vives y Mariana el pensamiento social español ha carecido de vuelos, permaneciendo apegado a los hechos de manera servil; a pesar de ello, esta escuela marca una dirección y una orientación que se debe seguir. Ahora bien, este reproche de falta de vuelos se le puede igualmente aplicar al mismo Costa; su *Colectivismo agrario* tiene una enorme importancia, pero más bien histórica. Representa una obra paralela a las reconstrucciones de Menéndez Pelayo de otros aspectos de la cultura española; a partir de ella se puede hablar de una historia de las ideas sociales en España. Recogió Costa una serie de materiales que eran en su mayor parte casi completamente desconocidos u olvidados, lo que hizo de este libro la fuente común y el punto de partida de todos los trabajos posteriores que tratan del tema, sobre cuya importancia no es necesario insistir.

7. *Soluciones al problema social.*

Costa no expone sus propias ideas sociales de un modo sistemático en ninguno de sus libros; probablemente lo hubiera hecho en esa tercera parte de *Colectivismo* que nunca llegó a aparecer. Sin embargo, esas ideas se pueden deducir de sus obras, y también se pueden encontrar expuestas de modo fragmentario en algunos folletos y discursos menores.

Así, en su discurso en La Solana de 1904 (21), resume de la siguiente manera sus conclusiones prácticas: 1) transformación rápida de los métodos de cultivo; ésta recae principalmente sobre los actuales propietarios; un aumento en la producción les permitiría retribuir mejor a los jornaleros; 2) transformación del nudo jornalero en jornalero-cultivador. Teniendo en cuenta la dignidad del proletario se habría de convertirle en cultivador independiente, como sería lo ideal; pero para llegar a este estado es mejor pasar por la situación intermedia de jornalero-cultivador.

Esto se podría conseguir alternando el trabajo por cuenta ajena con el trabajo en una tierra, propia o perteneciente al municipio. Esta última forma ofrece alguna ventaja práctica, por lo que los municipios deberían poseer tierras de buena calidad y próximas a la

---

(21) JOAQUÍN COSTA, *La tierra y la cuestión social* (Madrid, 1912), páginas 88 y sigs.

población que se sortearían entre los braceros, a la antigua usanza española.

Esta adquisición de tierras ha de venir, en algunos casos, por liberalidad de los particulares, pero comúnmente mediante compra por los ayuntamientos con pleno dominio o en censo perpetuo. A este tipo de compras se debe hacer extensiva la expropiación forzosa, tal como se había llevado a cabo en el siglo xv o se estatuía en la ley inglesa entonces vigente. Es decir, el ideal sería para Costa una completa reforma social que convirtiera en propietario a todo cultivador. Sin embargo, daba una gran importancia a los medios empleados para llegar a ello y por eso era partidario de una evolución lenta; desconfiaba de las revoluciones, y no simplemente por una postura conservadora, sino también por una falta de fe en radicalismos, que le sonaban a retórica. Ese conceder importancia a los medios es, por lo demás, típico de todo su pensamiento. Este posibilismo no era timidez. La reforma la exigía de forma inmediata y con expropiación forzosa por el Estado siempre que fuera necesario.

Se inclina por todo ello hacia un sistema intermedio de inmediata restauración del patrimonio colectivo de los municipios, de forma que el labrador obtuviera, al menos parcialmente, el producto de su trabajo. A esta inmediata restauración habría de seguir un reparto total de la tierra en parcelas individuales, que convirtiera todo campesino en propietario de un lote familiar, al mismo tiempo que en cultivador de una propiedad colectiva donde se podrían aplicar métodos más avanzados y progresivos.

No establece de modo apriorístico ninguna comunidad ideal, sino que cree que una experiencia secular creó una variedad de formas comunales en diversas regiones españolas, y que modernizarlas y recogerlas es mejor que acudir a cualquier creación artificial. Esta actitud es similar a la sostenida por diversos pensadores sociales europeos; basta recordar la importancia dada por Tolstoy al *mir* ruso.

Al centrar el problema social en la tierra, no estudia apenas los problemas de la revolución industrial, ni intenta una reelaboración general del concepto de propiedad. Tampoco parece dar demasiada importancia a los detalles técnicos de la transformación o a la forma en que el Estado ha de intervenir en ella; en el mismo *Colectivismo* parece dudar entre las soluciones de George y A. R. Wallace. A ellos le acerca, más que la afición a las soluciones concretas, una serie de actitudes comunes; una es el respeto por las situaciones constituidas: al igual que George, establece algún tipo de indemnización al terrateniente; otra es el centramiento del problema en la mala distribución de la tierra y no en los problemas de la estructura industrial. Comparte Costa con George un respeto y un amor a la tierra que casi tienen visos religiosos; ven la relación del hombre con la tierra como algo metafísico. George solía decir que el problema de la tierra, además de económico, es cósmico; es fácil encontrar en Costa párrafos en que de problemas agrícolas puramente técnicos asciende a efusiones líricas que expresan la misma idea.

Otro aspecto que ha sido apuntado en algunos estudios, como el de Tierno Galván, es el alejamiento de Costa del socialismo. Esta faceta, creemos, tiene raíces en su formación krausista. Ya vimos su rechazo del socialismo en 1867; posteriormente, su adscripción formal a un sistema no parece preocuparle demasiado, y así dice que ser considerado individualista o socialista le es indiferente (22), pero en esta afirmación hay que ver más una actitud antinominalista que una opinión real. Otras veces predica que frente al socialismo destructivo hay que oponer el socialismo constructivo, pero del contexto no se puede deducir que quisiera realmente ningún tipo de «socialismo», sino atacar, como destructiva, cualquier forma de esta ideología (23).

Hay, en nuestra opinión, una incompatibilidad sustancial entre marxismo y krausismo; las soluciones que el marxismo ofrece están dentro de la historia y son válidas solamente para un determinado momento: la revolución industrial. No pretende ser sino una interpretación de la evolución económica y social moderna y rechaza el valor universal de sus conclusiones, las cuales no deben ser consideradas como valores eternos al margen de lo histórico.

La filosofía de la historia y la teoría de la sociedad del krausismo no pueden en absoluto admitir ese relativismo; sus postulados no son solamente aplicables a un determinado momento de la evolución humana, sino que tienen un valor en sí.

Es esta base krausista la que apartó, a nuestro parecer, a Costa del socialismo. En esta creencia en un orden natural, coincide, aunque accidentalmente, con las teorías de George.

Las teorías sociales de Costa representan un intere-

---

(22) *Ibíd.*, pág. 148.
(23) *Ibíd.*, pág. 45.

sante intento de buscar una solución armónica que recogiera elementos de una buena parte de las corrientes sociales en la España de fin de siglo, con el fin de lograr un compromiso que rebajara la explosiva oposición de las fuerzas en conflicto. Ese intento, a pesar de que la idea de reconstrucción de los patrimonios municipales fue recogida parcialmente en algunas de las posteriores leyes de administración local, no se llevó a cabo.

Sin embargo, su obra de reconstrucción histórica de las doctrinas sociales españolas sigue siendo aún hoy en día el punto de partida esencial para cualquiera interesado en este tema.

VI

LA INTERVENCIÓN EN POLÍTICA ACTIVA

1. Los primeros intentos.

Se suele considerar que fue la catástrofe del 98 la que movió a Costa a intervenir en la política activa, y así se habla, tomándola como línea divisoria, en sus «dos épocas». Esta opinión es falsa en ambos enunciados; no existieron tales dos épocas, y su actuación en política es bastante anterior al 98. El probable origen de este error es el confundir el principio real de su actividad política con el momento en que esa misma actividad adquiere proyección nacional.

En 1890, tras un viaje a Suiza por razones de salud, se recluye Costa en Graus. Nada especial ocurría en la vida pública española. Ese mismo año subía al poder Cánovas del Castillo, que trató de dar al gabinete un carácter nacional incluyendo en él a dos liberales y aceptando los puntos más debatidos de la legislatura anterior, tales como la extensión del sufragio universal y el establecimiento de jurados. En este clima de rela-

tiva calma fundó Costa en 1891 la Liga de Contribuyentes del Ribagorza, que dirigían él y su pariente Salamero. Esta Liga se amplía después, pasando a deno-
minarse Cámara Agrícola del Alto Aragón. El acto
fundacional tuvo lugar el 7 de septiembre en la plaza
de toros de Barbastro, alcanzando una gran resonancia a la que contribuyó la propuesta de elevación de
Salamero al obispado.

Los antecedentes de la fundación de la Liga hay que
buscarlos en la crisis agropecuaria que tuvo lugar en
España a partir de 1885.

En 1887 el gobierno abrió una información que llevó
a convocar una Asociación de Agricultores de España
que condujo a la creación de la Liga Agraria, para la
defensa del interés puramente económico, inspirada por
Gamazo y con tendencia a la defensa de los cerealis-
tas castellanos.

En una carta posterior explica Costa las razones que
le movieron a estas acciones:

> Fundé la Cámara Agrícola en la esperanza de
> que se agrupasen en torno a ella todos los hom-
> bres de buena voluntad para trabajar en bien del
> país, fomentando sus intereses permanentes y de-
> jando al lado tantas monsergas sonoras (*libertad,
> orden*, etc.) con que se nos viene engañando hace
> medio siglo (1).

Es, pues, un intento de organización social con fines
económicos concretos, sin contacto con el Estado oficial ni con el parlamentarismo vacío al servicio de la

---

(1) Citada en M. CIGES APARICIO, *Costa, el gran fracasado* (Madrid, 1930), pág. 123.

oligarquía; un intento, en fin, de movilizar las masas neutras que habían permanecido al margen del juego político.

Tierno Galván ha señalado agudamente (2) el parentesco que esta Liga tiene con una serie de sociedades que, proclamando la neutralidad en política y religión, florecieron en España desde mediados del siglo XIX; baste recordar la Unión Mercantil, la Asociación para la Enseñanza de la Mujer, la Institución Libre de Enseñanza, etc., si bien no señala la inspiración krausista que muchas de estas actividades tenían, en cuanto respondían al ideal de múltiples organismos autónomos de esta filosofía. El discurso de Costa en Barbastro expresa claramente esta repulsa del verbalismo parlamentario, proclamando una política puramente económica.

El agua es trigo, es lana, es fruta, es carne.
Aragón, que ha iniciado todos los grandes progresos sociales de nuestra península, cumpliendo respecto de España el mismo ministerio que Inglaterra respecto de Europa, en tal concepto ha iniciado también este aspecto de la política económica ... ...
... ...
Si el mal de España tiene remedio todavía, ese remedio no puede ser otro que el silencio. Necesitamos, por encima de todo, un parlamento silencioso y un pueblo silencioso (3).

La inmediata tarea de la Cámara se dirigió a fomen-

---

(2) E. TIERNO GALVÁN, *Costa y el regeneracionismo* (Barcelona, 1961), pág. 184.
(3) *Ibíd.*, pág. 196.

tar la construcción de canales en Sobrarbe y parte de Cataluña.

A pesar de sus ataques al parlamentarismo al uso, pocos años después, en 1896, vemos a Costa presentarse como diputado a Cortes bajo la denominación de agrario por el distrito de Barbastro. Creemos que en esta decisión debió de influir el empeoramiento de la situación política del país. El fracaso en las colonias de las reformas autonomistas de Maura había ayudado a los insurrectos, y en febrero del 95 el grito de Baire señaló el comienzo de la gran insurrección cubana. A pesar del envío de 100.000 hombres, la situación militar en la isla empeoraba rápidamente. En medio de unos partidos lanzados a un patrioterismo delirante, sólo Pi y Margall y Costa se opusieron a la guerra, y esta oposición la convirtió este último en bandera electoral.

Su programa lo expuso en un manifiesto cuyos doce puntos resumimos:

1) Formación de un plan general de canales de riego y su construcción inmediata por el Estado.

2) Construcción por el Estado de una red de caminos baratos.

3) Apertura de mercados para la producción agrícola, especialmente el de Francia para los vinos.

4) Reforma del régimen hipotecario a favor del crédito territorial.

5) Suspensión absoluta e inmediata de la venta de bienes propios de los pueblos, poniendo término inmediato a la desamortización civil.

6) Autonomía administrativa de los municipios,

aboliendo el régimen de centralización en que se engendra el caciquismo.

7) Adaptación del presupuesto a la pobreza del país.

8) Codificación del derecho civil aragonés.

9) Establecimiento de seguros y mutualidades para labradores y braceros, menestrales y comerciantes bajo el patronato del Estado.

10) Mejora de la instrucción primaria, elevando la condición social de los maestros.

11) Justicia a Cuba y Puerto Rico en todos los órdenes, poniendo término breve a la guerra a cualquier precio que no fuera deshonor.

12) Atención intensa y sostenida a los intereses mercantiles de España y a los de su raza y civilización, estrechando los lazos morales con las naciones hispanoamericanas.

En las elecciones, Costa fue derrotado por la organización caciquil local, y esta derrota fue para él un duro golpe. Todavía en 1903, cuando los republicanos de Huesca intentaron ganarse su adhesión, les respondió con una carta insultante de giros apocalípticos:

> Tengo roto todo vínculo moral con la más cobarde, la más demente y la más desgraciada de las provincias españolas... No sé cuántas generaciones habrán de pasar antes de redimirse de su abyección; no sé cuántos jordanes habrán de caer en catarata purificadora sobre su cabeza para renacer a vida digna (4).

Claramente se puede ver que su programa en esas elecciones rebasaba ampliamente la política local y era ya un programa nacional.

_____

(4) CIGES APARICIO, *Costa...*, pág. 125.

Efectivamente, a pesar de ese fracaso continuó en la política activa, probablemente bajo la presión de las noticias del derrumbamiento de la resistencia española en Cuba y Filipinas. Y así, a través del directorio de la Cámara lanzó un manifiesto a las cámaras agrícolas y comerciales, gremios, centros de labradores, etc., convocándolas a una asamblea nacional. Ese manifiesto tiene un extraordinario interés y obtuvo merecidamente una amplia resonancia en toda España. Costa seguía fiel a su propósito de dirigirse a la parte de la nación que por su apartamiento de la política hasta entonces nada había tenido que ver ni para bien ni para mal en la marcha de los asuntos públicos, la cual había visto con absoluta indiferencia, sorda a su retórica, la sucesión de los partidos turnantes.

La mayor parte de las organizaciones requeridas se reunieron en asamblea en Zaragoza entre el 15 y el 20 de febrero de 1899 (el 10 de diciembre del 98 se había firmado el tratado de París, que redujo a España a su territorio peninsular). De esta asamblea surgió la Liga Nacional de Productores, que adoptó un programa inspirado en el manifiesto de 1896, cuyo extracto es el siguiente:

1) Plan general de canales combinados con pantanos, y su construción simultánea e inmediata por el Estado (núms. 1-4 del programa).

2) Perfeccionamiento rápido de los caminos carreteros y de herradura, suspendiendo la construcción de carreteras generales (núms. 15-18).

3) Reforma de la educación nacional en todos sus grados, y su desarrollo rápido e intensivo (núms. 35-38).

4) Caja especial autónoma dotada con recursos propios para los tres fines precedentes (núms. 59-60).

5) Organización del seguro y del socorro mutuo por iniciativa y bajo la dirección del Estado; establecimiento de huertos comunales (núms. 39-40).

6) Nivelación de los presupuestos generales del Estado mediante reducción muy considerable de los gastos, arreglo con los acreedores de la nación, etc. (números 61-62).

7) Simplificación y abaratamiento del sistema de titulación inmueble, de la fe pública y registro de la propiedad, y de la administración de justicia (núms. 29-34).

8) Derogación de la ley municipal vigente y su substitución por otra más breve, inspirada en un criterio descentralizador (núm. 74).

La Liga nombró presidente a Joaquín Costa con un directorio compuesto por los señores Catalán de Ocón, Mariano Sabas Muniesa, Ricardo Rubio y Manuel Vázquez.

Una de las resoluciones de la asamblea establecía la creación de la *Revista Nacional* como su órgano (5). Esta revista, a más de los comunicados oficiales u oficiosos de la Liga, contiene una sección que sucesivamente daba a muchas de estas iniciativas forma legal, bajo el título «Gaceta de la Liga». Recoge, además, comentarios de prensa, telegramas de adhesión y artículos originales de las principales figuras políticas e intelectuales de la época. Entre los originales publicados encon-

_____
(5) Esta revista está incluida como obra de Costa en algunas bibliografías, así en las de García Mercadal y Ciges Aparicio. Sin embargo, sólo una parte relativamente pequeña es obra de Costa, y aun muchos de los artículos que llevan su nombre, aunque evidentemente son obra exclusiva suya, están firmados en colaboración.

tramos las firmas de Azcárate, Piernas Hurtado, Royo Villanova, Ramón Nocedal, etc. Se reseñaban también artículos que se consideraban de interés general; entre ellos habría que destacar uno de Azcárate pidiendo la representación política corporativa (6), y otro de la Pardo Bazán sobre el problema de España y la destrucción de su leyenda (7). Buena parte de estos escritos reprochan a la Liga el no constituirse en partido político, para lo que tenía todos los elementos. A lo largo de ellos se va reflejando el desaliento que se empezaba a sentir, especialmente a partir de diciembre del 99, respecto a su ineficiencia política.

Los principales artículos y manifiestos que Costa publicó en la *Revista Nacional* fueron recogidos en 1901 y editados con el título *Reconstitución y europeización de España*. De este libro diría Ortega:

> La palabra regeneración no vino sola a la conciencia española: apenas se comienza a hablar de regeneración se empieza a hablar de europeización. Uniendo fuertemente ambas palabras, don Joaquín Costa labró para siempre el escudo de aquellas esperanzas peninsulares. Su libro *Reconstitución y europeización de España* ha orientado durante doce años nuestra voluntad, a la vez que en él aprendíamos estilo político, la sensibilidad histórica y el mejor castellano. Aun cuando discrepemos en algunos puntos esenciales de su manera de ver el problema nacional, volveremos siempre el rostro reverentemente hacia aquel día en que sobre la desolada planicie moral e inte-

(6) *Revista Nacional*, III (Madrid, 1899), pág. 46.
(7) *Ibíd.*, IV, 1.

lectual de España se levantó señera su testa enorme, ancha, alta, cuadrada como un «castiello» (8).

Mientras tanto, y a pesar de los signos de decadencia, continúa la Liga Nacional su actividad, incluso expandiéndola.

2. *La Unión Nacional.*

Influida por el mensaje de 1898, se había reunido en 1900 una Asamblea de las Cámaras de Comercio en Valladolid, inspirada por Gamazo y dirigida por Santiago Alba y Basilio Paraíso. Esta Asamblea adoptó un programa muy semejante al de la de Zaragoza, en el que se pedía la reorganización de la Justicia y la enseñanza, el establecimiento del servicio militar obligatorio, la reorganización de la Marina refundiendo el Ministerio con el de la Guerra, reorganización de la administración civil haciéndola inamovible y amortizando vacantes, reforma de la administración provincial y municipal eliminando el impuesto de consumos; además, recomendaba facilitar el procedimiento administrativo, acometer una política económica que facilitase la exportación y el comercio interior y mejorase la situación de las clases obreras.

De este programa nació la Unión Nacional, con Santiago Alba como vicepresidente y Basilio Paraíso como presidente. Costa y la Liga Nacional de Productores fueron invitados a sumarse a este movimiento, cosa que hicieron; esta fusión dio lugar a un poderoso movimiento que por un corto plazo llenó de esperanzas a

---

(8) J. ORTEGA Y GASSET, *Obras completas* (Madrid, 1957), I, 520.

un vasto sector de la vida nacional. Este movimiento pretendía influir sobre el Gobierno mediante peticiones y presiones indirectas, proponiéndose utilizar en último extremo como arma la negativa a pagar las contribuciones.

Las peticiones al Gobierno y a las Cortes fueron dasatendidas y la huelga de contribuyentes fracasó totalmente. Y fracasó a pesar de haber un extendido anhelo de cambio. Como el mismo Costa decía en su conferencia: «¿Quiénes deben gobernar después de la catástrofe?», pronunciada en 1900:

> En una cosa estamos de acuerdo los españoles, lo mismo los conservadores, que lo han dicho por boca del Sr. Silvela, como los liberales, que lo han declarado por boca del Sr. Maura; así los republicanos, que lo han dicho por órgano del Sr. Pi y Margall, del Sr. Azcárate, como las clases llamadas neutras, que lo han expresado por órgano de la Liga Nacional de Productores. Esa afirmación que hacen unos cuantos que se preocupan de la reconstitución y suerte futura de la Patria es que, para que ésta se redima y resurja a la vida de la civilización y de la historia, necesita una revolución o, lo que es igual, romper los moldes viejos que Europa rompió hace ya más de un siglo... La revolución que España necesita tiene que ser, en parte, *exterior*, obrada por representantes de los poderes sociales; en parte, *interior*, obrada dentro de cada español, de cada familia, de cada localidad, y estimulada, provocada y favorecida por el poder público también. En este sentido hemos hablado y hablaremos de una revolución hecha desde el poder (9).

---

(9) J. COSTA, *Quiénes deben gobernar después de la catástrofe* (Madrid, 1900), pág. 23.

Las razones del fracaso de la Unión Nacional son difíciles de determinar. Costa, en una comunicación a Bescós (10), las considera como errores tácticos. Probablemente influyó también la misma contradicción de querer hacer política al margen de la política, el no querer organizarse en partido y el no fundar un diario de gran circulación (aunque se pensó hacerlo transformando la revista *Vida Nueva*). En todo caso, aún desengañado, Costa intentó todavía una alianza de intelectuales que fracasó igualmente.

3. *La Unión Republicana.*

Todo ello le condujo a un acercamiento a la Unión Republicana que, por iniciativa de Nakens y bajo la dirección de Salmerón, se forjaba aquellos meses. Aceptando entrar de nuevo en la lucha parlamentaria, se unió a ella con sus más fieles seguidores de la Cámara del Alto Aragón, a los que con este objeto reunió en asamblea el 19 de marzo de 1903. Unos días después asistió al acto inaugural de la Unión en el Teatro Lírico de Madrid y el mes de abril pronunció un vibrante discurso en el mitin del Frontón Central. Fue propuesto ese mismo año diputado por Madrid, Zaragoza y Gerona, ganando las elecciones, pero su repulsión del sistema era tal que no llegó a pisar el Congreso, ni siquiera para tomar posesión del acta.

Costa, que el año anterior en su discurso «Cuatro años después de la catástrofe», había afirmado el empeoramiento progresivo de la situación, llega a la Unión

---

(10)   CIGES APARICIO, *Costa...*, pág. 135.

Republicana lleno de un obsesivo y angustioso deseo de cambio inmediato: de no venir una pronta revolución desde arriba, se impondría una revolución violenta desde abajo. Los escrúpulos y vacilaciones de los republicanos le irritan e impacientan, y prevé que fracasarían, como realmente sucedió.

A fines de 1904 se retira desengañado a Graus y desde entonces su actuación política es solamente esporádica. En 1905 se presenta de nuevo a diputado por Zaragoza: le derrotaron y ello le arrancó iracundos truenos y proféticas amenazas.

Tengan los amigos y correligionarios bastante fortaleza de ánimo para soportar la derrota «legal», aunque embustera, del día 10: la revolución de abajo les vindicará, anulando estas elecciones por otras en que hagan de urnas los fusiles y de papeletas las balas... Urge que el partido se decida a decir resueltamente adiós a la llamada por mal nombre «legalidad», y declarar al país en estado de revolución y no hacer otra cosa sino prepararla intensivamente y muy aprisa, hasta haber restaurado la República en la misma forma en que se restauró frente a ella y en su daño la monarquía (11).

Sin embargo, esta amenaza un tanto extrema hay que considerarla más bien un arma dialéctica que una opinión real.

Su último discurso político importante lo pronunció en el Teatro Pignatelli de Zaragoza el 12 de febrero de 1906 con el título de «Los siete criterios de gobierno»,

---

(11) C. MARTÍN RETORTILLO, *Joaquín Costa* (Barcelona, 1961), página 49.

que podemos considerar su testamento político y un resumen de su última actitud ante el problema de España. Los «criterios» eran los siguientes:

1) Desenvolver muy intensivamente la mentalidad de los españoles, «envolviéndoles el cerebro» y saturándoselo de ambiente europeo. Hace en este apartado observaciones agudas sobre la sicología nacional, en muchas de las cuales se adelanta a pensadores posteriores:

> Siempre que tratamos de adquirir un conocimiento íntimo, práctico y real de una institución cualquiera del extranjero..., nos quedamos aturdidos y como quien ve visiones, como si nos pegaran un golpe de maza en medio de la frente; la impresión que nos produce es así como un mundo, inaccesible para nosotros, atmósfera de otro planeta..., no meramente un grado superior de civilización, sino una humanidad de naturaleza distinta a la nuestra, y nos explicamos al punto la razón de que fracase cuanto intentamos tratando de imitarles. Aquello es la historia real y viva a la que no podemos sustraernos (12).

Este párrafo nos sugiere una anticipación de algunas ideas de Américo Castro, tales como su consideración de una diferencia básica de la morada vital española, que lleva consigo la inseguridad de ser de una forma y tener que vivir de otra.

Hay en los males de España también razones históricas: la desaparición en los siglos XVI, XVII y XVIII de los mejores elementos de la sociedad española arreba-

---

(12) J. Costa, *Los siete criterios de gobierno* (Madrid, 1915), página 98.

tados por la vida religiosa y la colonización, lo que como dijo Costa,

> dejó a España... sin los cultivadores de la duda y la interrogación, los codiciosos del más allá, los brazos que se sumergen y descienden a las profundidades de la Naturaleza y del espíritu para sorprender sus secretos, los agitadores y desaguadores de los pantanos humanos... La misión de la República consiste en restituir a España en breves años aquel fósforo, aquella sangre escogida, aquella «aristocracia natural» (13).

Este tema de la aristocracia natural y las minorías selectas, pasaría a ocupar un lugar central en el pensamiento de Ortega.

2) Abaratar la vida y a través de ello mejorar en un tercio, por lo menos, la ración alimenticia del español. Esto se lograría aumentando la producción y suprimiendo el impuesto de consumos.

3) Aumentar la vida media del español en una tercera parte cuando menos. Para ello habría que llevar a cabo una amplia campaña de higienización.

4) Arbitrar recursos extraordinarios para los tres conceptos de europeización, escuela y despensa e higiene, en cantidad doble de lo que costaron las tres guerras de 1895 a 1898.

5) Todo a la vez y muy rápidamente: política de procedimientos sumarísimos, el mayor número posible de millones en el menor número posible de años.

6) Nada de aumentos en los presupuestos para ser-

_____

(13) *Ibíd.*, pág. 99.

vicios públicos encomendados a personal técnico de pie forzado o no sustituible.

7) Gobernar por actos, no por leyes; hombre superior, no parlamento.

Hombres, hombres, no papel mascado, es lo que necesitan los pueblos en disolución, que se han quedado sin resorte interior, que han perdido el rumbo hombres, los pueblos expirantes en quienes se apagó el ideal y que querían otra vez tornarse fuerza viva... ¿Quiere esto decir que yo abogue a favor de un gobierno personal, que sea yo enemigo del *selfgovernment*, gobierno del pueblo por el pueblo, y por decirlo de una vez, del sistema parlamentario? No, no es eso: lo que quiero decir es que me hago cargo de cuáles instituciones convienen a una edad y a una situación, y cuáles a otra... Hace poco más o menos un siglo, la península ibérica se había quedado sin nación y quiso improvisar una: hombres sin duda geniales en clase de escenógrafos levantaron sobre el vacío solar de las cámaras una nación de teatro (14).

En el resto del discurso justifica el gobierno personal con citas de Stuart Mill, Giner, Dorado Montero, etc., y con ejemplos históricos. Pero el examen de este problema corresponde a otro capítulo de este trabajo. Ahora nos limitaremos a señalar la semejanza de varios párrafos de este discurso con el de Ortega «Vieja y nueva política» (título semejante fue empleado por Costa en un importante ensayo).

Después de este discurso, auténtico testamento político, vuelve a Graus enfermo y fracasado. Aún volvería

---

(14) *Ibíd.*, pág. 140.

a Madrid en 1908 para informar en aquel Congreso que
como diputado no había querido pisar, contra la ley de
represión del terrorismo que pretendía imponer el gobierno Maura. Esta última intervención suya, viejo, enfermo y casi inválido, en defensa de la libertad y dignidad humana pone un brillante fin a una noble vida.

VII

Las informaciones del Ateneo

1. El problema de la tutela social.

Paralelamente a su actuación política, Costa desarrolla durante esos mismos años lo que pudiéramos llamar la elaboración teórica de esa actividad, mucho más importante para el objeto de este trabajo. Esta elaboración teórica se centra en las dos informaciones que promovió como director de la Sección de Ciencias Históricas del Ateneo. Esta sección dirigió el 9 de julio de 1895 una comunicación proponiendo como tema «Tutela de pueblos en la Historia»; de la nota que la acompañaba transcribiremos algunos párrafos:

> A los grandes progresos que ha alcanzado en el terreno de la filosofía jurídica la teoría de la tutela civil y de la tutela correccional, no corresponde el estado embrionario en que todavía se mantiene la doctrina de la «dictadura» como tutela de pueblos nacientes o de pueblos retrasados, caídos o enfermos, incapacitados por defecto de edad o por accidental retroceso o declinación para regir su

propia vida; y ha de parecer anómalo que siga
atenida a los vagos presentimientos y a las indicaciones por su mayor parte precientíficas de Platón, San Agustín, Maquiavelo, Sismondi, Donoso
Cortés, Taparelli, Roeder, Stuart Mill, Lilienfield
y algún otro de menor cuenta, no obstante tratarse
de un problema tan vital y de una rama de la ciencia política que se ha visto solicitada y llamada a
reflexión por sucesos tan variados y de tanta resonancia en todo discurso del presente siglo (1).

El tema de la dictadura siempre había preocupado a
Costa. Hemos visto ya que en *La vida del derecho* le dedicó un capítulo. Que esto era más que interés momentáneo lo vemos a través de la parte que le dedica en estudios posteriores, tales como su «Programa de Derecho
Consuetudinario». Tanto la Dictadura como la Revolución encontraban un puesto en su teoría general del
Derecho, siempre como situaciones anormales y temporales a las que sólo en último extremo y en especialísi-
mas circunstancias de enfermedad del cuerpo social se
puede acudir. Esta admisión se da en muchos pensadores políticos liberales, entre los que menciona Costa,
está el krausista Röder. Aquí se debe recordar la afirmación que Tierno Galván expuso en sus cursos universitarios «en el krausismo hay elementos para deri-
var la idea de una dictadura popular, moral y jurídica-
mente justificada» (2).

La información del Ateneo fue un fracaso. De la larga lista de personalidades invitadas, la inmensa mayo-

(1) J. COSTA, *Tutela de pueblos en la Historia* (Madrid, 1911),
página VI.
(2) E. TIERNO GALVÁN, *Costa y el regeneracionismo* (Barcelona, 1961), pág. 188.

ría puso algún pretexto para no participar; algunos ni contestaron. Del amplio y ambicioso programa sólo se llevó a cabo la lectura de la memoria reglamentaria, y se pronunciaron dos conferencias, una de Joaquín Costa sobre «Viriato y la cuestión social en España en el siglo II antes de Jesucristo», donde estudia esta figura histórica, a quien presenta como un libertador social que luchó contra los terratenientes y capitalistas de su época. Esto le sirve para establecer un paralelo entre las condiciones sociales de esa época y las de la nuestra, que ha vuelto a entregar las tierras a un régimen de propiedad individual antisocial en nombre del liberalismo doctrinario, para acabar amenazando con la aparición de nuevos redentores vengadores.

La otra conferencia fue pronunciada por Rafael Altamira sobre el tema «El problema de la dictadura tutelar en la Historia», que es un excelente resumen de algunas de las teorías que la favorecen, examinadas desde un punto de vista organicista.

Entre los textos que cita, está uno de Röder:

En el proceso de la civilización se confirma por completo este principio, pues también aquí hay ciertos individuos, familias, clases, corporaciones, razas y pueblos que aventajan a los demás en importancia y cultura y mantienen su preponderancia, no de mero hecho, sino legítimamente; ejercen una verdadera *tutela* sobre aquellos que se encuentran todavía en un grado inferior de desarrollo, que exige la dirección de su vida por otras personalidades superiores mientras no han igualado o sobrepujado a éstas (3).

---

(3) Incluida en RAFAEL ALTAMIRA Y CREVEA, *De historia y arte* (Madrid, 1898).

Pasa revista a otros autores que también la aceptan, entre ellos Platón, Aristóteles, Rousseau, Montesquieu, Donoso Cortés, Alcalá Galiano, Stuart Mill, etc.

Cree Altamira, en resumen, que la dictadura está justificada en ciertos casos y con ciertas condiciones. Estos casos son: o bien insuficiencia en el desarrollo de los pueblos (infancia o atraso), o bien enfermedad (anormalidad, degeneración o crisis).

Las condiciones deben ser:

1) La función del dictador ha de ser especial, limitada en capacidad y tiempo.

2) Ha de asumir el poder del Estado, pero sólo para cumplir los fines de éste.

3) Sólo en casos en que el conflicto no se pueda resolver mediante el juego normal de las fuerzas sociales.

El dictador puede ser elegido (legal en la forma) o aceptado tácitamente (legal en el fondo). En realidad, los poderes extraordinarios concedidos en circunstancias especiales en la mayor parte de las constituciones vigentes no son para Altamira sino una forma de dictadura legal. No cree que el pueblo pierda dignidad por estar sometido a una dictadura temporal, ya que conserva la plenitud de su derecho y de su dignidad, aunque no lo ejerza de momento, y aceptándola concurre con el dictador en la obra de la regeneración.

La información, como vemos, fue un fracaso. Insatisfecho Costa de sus resultados, continuó por su cuenta ampliando el tema en una serie de artículos que sobre Colbert, el conde de Aranda e Isabel de Castilla fue publicando en la *Revista Nacional*. Especial interés ofrecen los artículos sobre Isabel de Castilla, en los que traza un paralelo entre la Junta de Dueñas, donde se inició la obra regeneradora de la reina, y la Asamblea de Zaragoza. Ciertamente, se transparenta qué pensaba de su propio mensaje a la Asamblea de Zaragoza cuando habla del discurso de Quintanilla, «que levantó los ánimos de la concurrencia y la apiñó en derredor suyo y fue el principio de la regeneración de Castilla» (4). Podemos ver en este paralelo la importancia trascendental que dio a aquella Asamblea.

A pesar de todos estos trabajos, su proyecto de aclarar y profundizar el estudio de la tutela social fue un intento fallido. Se había quejado de que los autores se hubieran limitado a un estudio de las formas concretas en que la dictadura o tutela habían aparecido a lo largo de la Historia y a analizar los supuestos de hecho que la justifican. Exactamente a esto se limitó la información, reduciéndose Costa a una serie de trabajos históricos y Altamira a un análisis de las circunstancias que justifican la tutela. El problema quedó en los mismos términos. Sin embargo, si bien la información no aclara el problema, sí ayuda a conocer el pensamiento de los autores sobre un tema tan importante.

2. Oligarquía y caciquismo: La Memoria original.

La preocupación sobre la tutela social tenía por base el pensar que quizá fuera el único medio de acabar con la organización caciquil, ya que la existencia de esta organización constituía el problema básico. A él había dedicado Costa párrafos en casi toda su obra; era natural

_____
(4) COSTA, *Tutela...*, pág. 79.

esperar que le dedicara un estudio más completo y ambicioso. Para ello promovió una nueva información en el Ateneo (5). En 1901 envió a casi todas las personalidades de la política y la intelectualidad española una memoria con el título *Oligarquía y caciquismo como forma actual de gobierno en España: urgencia y modo de cambiarla,* en la que les pedía su opinión y consejo sobre el tema (6).

Cita en ella a varios autores que, con anterioridad, habían analizado la cuestión, tales como Macías Picavea y especialmente Gumersindo de Azcárate (7). En esta memoria, Costa aclara y sistematiza sus ideas anteriores en forma de un cuerpo de doctrina que, con ligeras mo-

---

(5) Unos años antes Costa, en su prólogo a *La ley del embudo,* de Pascual Queral (Huesca, 1897), había ya sistematizado parcialmente el tema.

(6) Fueron recogidos en volumen los informes de las siguientes personas y entidades: Antonio Maura, Jenaro Alas, Basilio G. de Alcaraz, Adolfo Bonilla y San Martín, Alfredo Calderón, vizconde de Campo Grande, Salvador Canales, Antonio Casaña, Rafael Altamira, Adolfo A. Buylla, Adolfo Posada, Aniceto Sela, Severino Bello, Lorenzo Benito de Endara, Sixto Espinosa, Joaquín Fernández Prida, Pompeyo Gener, Enrique Gil Robles, Damián Isern, Enrique Lozano, Juan Mañé y Flaquer, Manuel M. Rocatallada, Juan Ortí y Lara, José Pella y Forgas, Valeriano Periés, Francisco Pi y Margall, Jacinto Octavio Picón, José M. Piernas Hurtado, Alvaro y Marcelo Martínez Alcubilla, Pedro Dorado Montero, Emilia Pardo Bazán, Tomás Bretón, José Nogales, Federico Rahola, Antonio Royo Villanova, Constancio Bernaldo de Quirós, Santiago Ramón y Cajal, Elías Romero, Mariano Ripollés, Luis Navarro, Federico Rubio, Trinitario Ruiz Capdepon, Joaquín Sánchez de Toca, Vicente Santamaría de Paredes, Eduardo Sanz y Escartín, Conrado Solsona, Luis Chávez, Miguel de Unamuno, Enrique Fresa, Agustín Buillón, conde de Torres Vélez, Rafael Conde y Duque, Rafael Salillas, Ricardo Becerro de Bengoa, Antonia Espina y Capo, Cristóbal Botella, Fernando Lozano, Alfonso González, Andrés Ovejero y Gumersindo de Azcárate, a más de las Cámaras Agrícolas de Tortosa y Alto Aragón, el Círculo de la Unión Industrial de Madrid y un informe anónimo.

(7) Especialmente en *El régimen parlamentario en la práctica* (Madrid, 1885).

dificaciones, mantendrá hasta su muerte. Empieza, por consignar, que, una vez desaparecido el absolutismo monárquico, el problema con el que hay que enfrentarse es el de determinar qué sistema político le ha substituido.

En teoría, existen partidos, parlamento, garantías, etcétera; pero, en definitiva, nos encontramos con un pueblo que, como decía Macías Picavea, tiene todas las apariencias y ninguna de las realidades de ley y orden jurídico (8). «¿Cuál es, pues, dejándonos de ficciones, la forma de gobierno en España?» (p. 14). El encontrar una respuesta a esta pregunta nos posibilitaría para establecer el verdadero diagnóstico de una situación política y social cuya anormalidad se intuye; no planteársela trajo por resultado el que las revoluciones, en especial la de 1868, se limitaran de manera superficial a atacar el poder moderador, dejando incólume el verdadero mal.

Para Costa, el gobierno real, no teórico, de España, está en manos de la oligarquía y el caciquismo. «Cada región y cada provincia se halla dominada por un particular irresponsable, diputado o no, vulgarmente apodado en esta relación *cacique,* sin cuya voluntad o beneplácito no se movía una hoja de papel» (p. 15).

Para el cacique no existen leyes ni ética. Este sistema es peor que el feudalismo histórico.

> Forma un vasto sistema de gobierno, organizado a modo de masonería de regiones, por provincias, por cantones y municipios, con sus turnos y

(8)   J. Costa, *Oligarquía y caciquismo* (Madrid, 1902), pág. 13. En el resto del capítulo incluiremos las referencias a páginas de esta obra en el texto.

> sus jerarquías, sin que los llamados ayuntamientos, diputaciones, alcaldías, gobiernos civiles, audiencias, juzgados, ministerios, sean más que una sombra y como proyección exterior del verdadero Gobierno que es ese otro subterráneo» (p. 18).

Hay, pues, como dos estados superpuestos: uno, legal, puramente teórico, y otro, real, donde la libertad y la justicia están en manos de una minoría corrompida.

Por más de medio siglo, la bandera de la España nueva había sido la «libertad», a los acordes del himno de Riego. Pero, aunque esa libertad ya estaba conseguida, el español seguía sintiéndose oprimido, sin que su obsesión por lo teórico le dejara darse cuenta de la realidad. Había, pues, que asegurar el cumplimiento en la práctica de aquella libertad teórica, y, tratándose de un pueblo menor de edad, haría quizá falta un período tutelar de transición. La gente había vivido durante décadas en la etapa mítica y edénica del progresismo, y en lugar de considerar la libertad como algo dinámico, se la consideraba como el simple mecanismo del «sí» parlamentario. Los llamados partidos no eran sino banderías de carácter marcadamente personal, que se preocupaban únicamente de la conquista del mando, como el mismo Maura denunció (p. 21).

Costa aplica a España las clasificaciones políticas aristotélicas, y distingue la forma de gobierno de una minoría dirigida al bien común—la aristocracia—de su degeneración—la oligarquía—, en la que la minoría gobernante no atiende sino a su interés personal; esta última gobierna España.

En cuanto a la aristocracia, es decir, el gobierno de una minoría selecta, la encuentra Costa legítima y aún deseable, en lo que coincide con Sánchez de Toca (p. 24), pero cree que, desgraciadamente, ese deseable patriciado natural, al modo descrito por Pereda en *Peñas Arriba*, no existe, y que la realidad se acerca más a la situación descrita en la novela *La ley del embudo,* de Queral.

No es lo malo la existencia de un parlamento viciado, cuyos defectos quepa corregir dentro de una sana organización política, sino que ese parlamento no sea sino la superestructura formal de la oligarquía. Este diferente punto de vista tiene la inmediata ventaja de hacernos enfocar la cuestión desde un ángulo distinto. No se deben centrar los esfuerzos en intentar modificar la constitución existente por los medios legales establecidos por el mismo sistema, sino que, haciendo una revisión a fondo del proceso revolucionario del siglo xix, se debe intentar un cambio de las infraestructuras oligárquicas. Es previo, por tanto, un análisis de la minoría dirigente, que nos lleva a diferenciar en ella los siguientes elementos:

1) Los oligarcas, plana mayor de los partidos políticos, residentes generalmente en Madrid.

2) Los caciques locales, diseminados por todo el territorio.

3) El gobernador civil, que les sirve de mutua comunicación.

Los oligarcas y caciques están distribuidos en unos seudopartidos, diferenciados unos de otros solamente por banderas personales. Estos grupos no forman realmente parte de la nación, y son en ella un elemento extraño como lo sería una facción de extranjeros que se hubiera apoderado del país por la fuerza.

Los caciques representan una selección al revés: el

gobierno de los peores. Entre ellos, el matonismo y la falta de escrúpulos son virtudes esenciales. Tan responsables, o aún más, de todas las tropelías del cacique son los oligarcas que le protegen, aunque muchos conserven una hipócrita capa de respetabilidad. A esta situación se debe la indiferencia hacia la política que ha impregnado al pueblo español, y que se manifiesta en la pérdida del sentido patriótico. A este respecto recuerda Costa la amarga experiencia que fue para España el recibimiento dado a las fuerzas americanas en la «siempre fiel Puerto Rico», así como la apatía y el antinacionalismo que se manifestaban en varias regiones españolas (eran los días del ¡Viva Cataluña francesa!). Otra trágica consecuencia de este estado de cosas es la eliminación de la aristocracia natural de los mejores, de las inteligencias más claras, las voluntades más firmes y las conciencias más rectas.

Contra esta situación hace falta una solución rápida y efectiva. Tal vez podría ser la revolución directa, con hoces y teas, y, aunque la desaconseja, reconoce que la regenerción no llegará mientras

> las masas neutras no tengan gusto por este género de epopeyas... Las hoces no deben emplearse nunca más que en segar mieses; pero es preciso que los que las manejan sepan que sirven para segar otras cosas (p. 67).

Ante el fracaso completo del régimen liberal de partido turnante de la Restauración, cree Costa necesario el advenimiento del neoliberalismo, que sigue fundamentado a largo plazo en el *self-government*, y que no confía en una reforma meramente legal y formal.

El error está en creer que la ley es garantía del Derecho, pues esta garantía sólo está en la conciencia. En este sentido cita a Giner, quien enseñó que el Derecho «no constituye una esfera menos interior, menos 'ética', más accesible a la coacción que la esfera de la moralidad» (p. 77). Por lo tanto, la reforma ha de ser indirecta y dinámica, no legal.

A corto plazo y como medida de urgencia sólo cabe aplicar lo que Costa llama «política quirúrgica». Tal política «tiene que ser a cargo de un cirujano de hierro, que conozca bien la anatomía del pueblo español y sienta por él una compasión infinita» (p. 86). Esta reforma llevaría a España, a la larga, al auténtico liberalismo *self-government* y al régimen parlamentario; pero hasta que esto llegue, el actual parlamento es una parte del cáncer que hay que extirpar «raza atrasada, imaginativa y presuntuosa, y por lo mismo perezosa e improvisadora» (pág. 90), ha fiado sus adelantos a la importación mecánica de lo que producen los otros, hasta el punto de que así se ha hecho incluso con el derecho público; mas esta importación de instituciones propias de pueblos más adelantados se ha revelado inútil y aun contraproducente para España. «Las urnas de cristal cuesta poco decretarlas y se fabrican pronto: lo que no se fabrica con la misma facilidad es el elector» (pág. 102). A pesar de todo, su postura no es tan radical como la de Macías Picavea, que pedía el cierre de las Cortes por diez años. Para Costa, sería suficiente separar el gobierno del parlamento, ante el que no sería responsable, y limitar de otros varios modos el poder de las Cortes.

Resume sus doctrinas aconsejando una política ética y, por lo tanto, antidoctrinaria, sustantiva, sumarísima y semiparlamentaria. El *régimen parlamentario como ideal, el régimen presidencial o representativo como transición y como medio* (pág. 108).

Cuatro reglas prácticas marcan el camino de la regeneración:

1) Fomento intensivo de la enseñanza y de la educación por métodos europeos.

2) Fomento intensivo de la producción, y difusión consiguiente del bienestar material de los ciudadanos.

3) Reconocimiento de la responsabilidad del municipio.

4) Independencia del orden judicial; intervención del pueblo en los juicios civiles mediante arbitraje obligatorio, y simplificación de los procedimientos.

A los dos primeros los llama remedios orgánicos y a los dos últimos, remedios jurídicos.

3. *Las comunicaciones recibidas.*

A la memoria enviada por Costa respondieron en forma oral o escrita un gran número de personalidades. Muchas de esas contestaciones fueron recogidas en volumen junto con la memoria original. En estas respuestas, excediéndose la mayor parte de las veces de los límites de las preguntas, exponen su pensamiento sobre el problema de España casi todas las figuras intelectuales y políticas más relevantes del momento. Constituye esta información, por ello, un acontecimiento capital en la vida intelectual española, aunque, de modo inexplicable, se la suele olvidar.

A continuación resumimos algunos de los informes que consideramos más característicos.

Maura acepta completamente la visión de Costa, y, al estudiar las reformas posibles, cree que la parte de la sociedad más accesible a una renovación es el propio Gobierno. Este Gobierno, que debía ser influido por medios indirectos, actuaría como una especie de «arca de Noé», y que, a su vez, influiría en el parlamento, conservándolo dentro de la legalidad o llegando a disolverlo dentro de las normas vigentes. Confía, aunque sus argumentos no sean demasiado convincentes, en que el tiempo y la reforma de la administración local harán el resto.

Bonilla y San Martín acepta igualmente la memoria enviada, y cree que el caciquismo es un mal general de toda la sociedad española. Se detiene de modo especial en la importancia que tiene ese mal en el mundo literario. La causa, para él, no es sino un fondo general de incultura. Las soluciones meramente políticas que ofrece son el establecimiento de un régimen presidencial y la disminución de prerrogativas de las Cortes.

Alfredo Calderón cree necesario el planteamiento previo del problema de la juventud o vejez de España, inclinándose a pensar que nuestros males provienen de un estado de decrepitud, en el que vivimos de la añoranza y del culto a la muerte. De modo un tanto escéptico, recuerda que algunos pueblos han salido de semejante estado, y señala que, para que España lo haga, no puede esperarse nada del pueblo ni de los políticos, sino de un hombre providencial, si bien encuentra serias razones para dudar de su posible aparición:

Hacen a los grandes hombres los grandes pue-
des pueblos. Hacen a los grandes reformadores
las grandes revoluciones... Spencer ha demostrado
victoriosamente contra Carlyle que los grandes
hombres son siempre *representativos*, algo así como mandatarios del alma de una nación, del espíritu de una época. Yo no espero ver surgir de esta
España depauperada un genio redentor, como no
espero que brote un bosque tropical en plena es-
tepa castellana. Si España produce hoy un dictador, engendráralo a su medida (p. 147).

Como posibles soluciones a corto plazo preconiza el
establecimiento de una dictadura colectiva por parte de
una especie de Convención Nacional, y, clara y sincera-
mente, no espera que se produzca una renovación.

Los profesores de la Universidad de Oviedo, Rafael
Altamira, Adolfo G. Buylla, Adolfo Posada y Aniceto Sela,
enviaron un informe en colaboración en el que recono-
cen la extensión del mal, si bien señalando que no es
privativo de España y que tiene más profundidad y amplitud que las que el mismo Costa apunta. Defienden
que, en contra de lo que puede parecer por algunas de
sus frases sueltas, Costa no acepta una dictadura, sino
un régimen presidencial. Para librarse del caciquismo,
hay que confiar en remedios a largo plazo, que habrían
de ser remedios orgánicos, sin ninguna modificación de
las instituciones representativas actuales.

Para Pompeyo Gener, el problema hay que plantearlo
en términos raciales. Así, en Castilla y Andalucía, con
predominio bereber, el cacique es un producto natural
con el que está de acuerdo la sociedad, mientras que en
Levante y especialmente en Cataluña es un producto
extraño al país, órgano del poder central que funciona

como en país conquistado. La solución estaría en una república federal que devolviera la autonomía a los estados con base racial y geográfica, que resolverían después este problema de maneras diferentes y originales.

Según Enrique Gil Robles, el caciquismo no es sino una «burguesocracia» que existe en todos los países, y es un mal producido por el parlamentarismo; una consecuencia natural del liberalismo y la revolución. La única solución es la desaparición de tal régimen y su sustitución por un poder personal absoluto, y no en cualquier forma, sino en forma monárquica. Esta monarquía, una vez restaurada la solvencia de la Patria, daría paso a algún tipo de régimen representativo tradicional. Con espíritu semejante, Ortí y Lara busca en el protestantismo y en el olvido de tanto la ley natural como las enseñanzas de la Iglesia la razón de todos los males.

Pi y Margall piensa que bastaría el restablecimiento de la libertad y autonomía de los municipios y regiones para devolver la salud a la Patria.

Emilia Pardo Bazán aporta datos para demostrar que el caciquismo es un fenómeno europeo que en España simplemente adquiere caracteres peores por el estado general de inferioridad del país. Niega que el pueblo esté sano y que la oligarquía sea una simple superestructura al modo que la presentan algunos escritores «patriarcalistas», como Pereda o Fernán Caballero. Pueblo y caciques forman una unidad, de tal modo que acaba siendo el caciquismo la manifestación de un tipo de hombre muy español: «el individuo que acaudilla, llámese bandido, pirata, conquistador de Indias, aventurero, régulo» (p. 377). El único remedio es la instrucción y educación necesarias para variar el estado anti-intelectual de la masa.

Santiago Ramón y Cajal considera rasgos fundamentales de los españoles su ausencia de sentido político y la debilidad e inconsistencia de su patriotismo. «A la manera de los organismos inferiores, nuestro pueblo revela vida exclusivamente vegetativa. El sistema nervioso central, destinado a enlazar las partes con el todo... hállase en nuestro país en estado de rudimento» (p. 425).

Por ello, el sistema representativo es la imposición de una minoría urbana y progresista a una mayoría indiferente que lo rechaza. El caciquismo es absolutamente necesario; en la actualidad el daño está en el mal cacique, pero aun ése es necesario en cuanto representa un principio de organización y de solidaridad en medio de un atomismo anárquico. Por tanto, no hay que suprimirlo, sino mejorarlo y educarlo. Su desaparición depende sólo del tiempo y del mejoramiento de la cultura. Mientras tanto, el deber de las clases dirigentes es procurar su propia perfección.

Gumersindo de Azcárate encuentra que el problema se basa en una constante racial.

La exaltación del sentimiento de independencia y de individualismo, por el cual es España el país de los guerrilleros, el país de las behetrías, el país de los descubridores y aventureros por propia cuenta, y con el cual no pudieron la centralización de Roma, ni el sentido unitario de la Iglesia, ni el absolutismo de la monarquía. Consecuencias de esa condición de nuestra raza: el *caciquismo*, porque todo individuo quiere ser un rey, y el *canto-nalismo*, porque toda población quiere ser un Estado (p. 589).

Esto, sin embargo, se puede combatir haciendo que el medio no sea favorable para que prospere este fenómeno; para ello pide la aceptación de las propuestas de Costa sobre educación y mejoramiento material, dando, además, una gran importancia a la descentralización administrativa. Acepta las conclusiones de Costa en cuanto a la necesidad de «un hombre», rechazando la sustitución del régimen parlamentario por un tipo de presidencialismo. Su visión es más optimista en cuanto al pasado, y reconoce las mejoras de España en el siglo XIX.

Hemos seleccionado algunos de los informes más característicos; los demás varían poco. El simple recuento de los autores de las respuestas citadas es ya significativo: ninguna de esas opiniones proviene de políticos directamente adscritos a la Restauración. Las figuras políticas que participan se habían mantenido generalmente al margen del juego de los partidos turnantes; así el federalista Pi y Margall o el carlista Gil Robles, o en casos como Maura, representaban una política de intentos renovadores; el fallido maurismo tenía mucho de regeneracionista en su primera época. Otra ausencia importante que notamos es la de dirigentes obreros, de alguien que hablara en nombre del naciente proletariado industrial.

4. El comentario a las respuestas y conclusiones.

Al final de las respuestas, Costa añade un informe en el que las estudia, clasifica y comenta, estableciendo sus propias conclusiones. Observa en él que todos los autores coinciden en la aceptación de la existencia y gravedad del mal, al tiempo que les separan grandes discrepancias con respecto a los restantes puntos de la encuesta.

Critica Costa las opiniones de aquellos que afirmaban que el origen del caciquismo se encuentra en el mismo siglo XIX y que surgió en parte como consecuencia del parlamentarismo. Entre ellos están Gil Robles, Pella y Forgas, Pardo Bazán, Piernas Hurtado y Damián Isern. En contra, argumenta que este fenómeno ya existía en tiempos de Carlos II, según el testimonio de Miguel Alvarez Ossorio, e incluso con mayor virulencia. Aporta también pruebas de su continuación durante los reinados siguientes.

Se enfrenta con los autores que consideran el caciquismo como necesario para la organización de la nación—así, Ramón y Cajal, Maura, Unamuno, etc.—, opinión que se basa, en general, en considerar al pueblo español sumido en un estado de atraso; lo está ciertamente, pero su situación tiene también rasgos patológicos. Patológico es, por ejemplo, el caciquismo, que no es sino una degeneración del patriciado, forma natural de gobierno de un pueblo. El patriciado o aristocracia natural es incompatible con lo que algunos informantes llamaron «cacique bueno». Esta designación implica una imprecisión terminológica.

Reconoce Costa la utilidad de la encuesta en cuanto ha contribuido a un conocimiento más amplio del cacique, a través de una serie de datos enviados por diversos informantes, que permiten un análisis de aspectos no estudiados en la primitiva memoria. Entre estas nuevas aportaciones cabe destacar el duro análisis que Dorado Montero, y Frera y Ripollés hacen del estado de la administración de justicia, uno de los puntales de la oligarquía.

Los remedios propuestos en la memoria fueron aceptados prácticamente por la totalidad de los consultados, si bien hubo una serie de preferencias personales respecto a su prelación. De los remedios orgánicos, las preferencias fueron en general por el primero, la escuela, seguido de la despensa, y ambos a bastante distancia de los llamados remedios jurídicos, que inicialmente ocupaban el tercero y cuarto lugar. Junto a ellos muchos consultados proponen otras soluciones dentro de una amplia gama, en la que es fácil encontrar las opiniones más dispares y contradictorias. Ortí y Lara, por ejemplo, cree que la raíz de los males de España se encuentra en el libre examen de la razón humana y en prescindir de Dios y sus santos Mandamientos; la regeneración, por tanto, ha de venir de «dar libelo de repudio a las libertades modernas», mientras para Tomás Bretón «España se ha quedado atrás en el concierto de los pueblos modernos y sufrido tan continuados desastres, porque está dominada por clérigos, frailes y jesuítas» (p. 385), lo que le hace ver la solución en «Desligarse de Roma y nacionalizar la Iglesia» (p. 387).

El sistema presidencialista que proponía Costa fue recibido con la adhesión más o menos condicionada de bastantes informantes, pero fue mirado con desconfianza por algunos autores que veían en él un posible peligro de dictadura. Contra los que así pensaban (uno de ellos era Ovejero) escribieron Azcárate y Altamira, que arguyen que la política quirúrgica habría de mantener un parlamento y un poder judicial independientes. Contra esos escrúpulos también escribe Costa, afirmando que es posible que no exista un hombre capaz de encarnar el «cirujano de hierro», pero nada se pierde por intentarlo; se impacienta con los que negaban la existencia de ese hombre capacitado, y estaban al mismo tiempo dispuestos a entregar la primera magistratura del país a un rey niño.

Por lo que se refiere al parlamento, nadie, a excepción de Gil Robles, es partidario de su abolición completa. Dorado Montero se remite a la doctrina de Macías Picavea, que pugna por la suspensión temporal. Pero hay muchos que abogan por su modificación, bien al reducir sus prerrogativas al papel de las cortes tradicionales (Bonilla), o al independizarle del poder ejecutivo (Rahola).

Costa rechaza el tecnicismo de los autores que no quieren modificar el sistema parlamentario. Para él, esos escrúpulos se basan en un respeto al formalismo de las palabras, que ha dado lugar a un convencionalismo criminal del que culpa en buena parte a las universidades. Repite que en España no hay electores como resultado natural del régimen oligárquico, y por eso, aunque una institución parlamentaria sea lo ideal, mientras no tenga una base real—el elector—y la nación salga de su minoría, algo habrá de sustituirla. Pero ¿qué debe ser ese algo?

> Con la doctrina de Stuart Mill, la respuesta sería bien sencilla: cuando un pueblo no puede sostener el gobierno representativo, por carecer de capacidad o voluntad para cumplir los deberes y funciones que su ejercicio impone a los ciudadanos, o por desconocer el principio de obediencia, o al revés, por una extremada pasividad, que le predispone a someterse a la tiranía, o por vicios positivos en el carácter nacional, por incultura, etcétera, es necesaria, a juicio del afamado publicista británico, la dictadura. Pero aquí, por estos o por aquellos respetos, aunque no nos faltan aquellas condiciones, es pie forzado, según hemos visto, erigir al lado del gobernante personal un cuerpo político o a que se dé el nombre de Parlamento, para que sea él, en calidad de Convención nacional, quien lleve a cabo la revolución de arriba, o en calidad de Cortes ordinarias quien la legitime (p. 683).

Citamos íntegro este largo párrafo por su gran interés. En él reconoce Costa que en España se dan las condiciones que, de acuerdo con Stuart Mill y con su propio pensamiento—tal y como lo había expuesto en *La vida del derecho* y en la *Teoría del hecho jurídico*—, justificarían una dictadura. Pero por «estos o aquellos respetos» nominalistas acaba siendo obligado el mantenimiento de una forma de parlamentarismo. La irritación contra el formalismo y la impaciencia le llevan a afirmaciones extremas frecuentemente contradictorias.

Una vez más repite que nuestra escuela y nuestra agricultura no han progresado nada desde el siglo xv.

Otro tanto ocurre con las elecciones, pues fue entonces cuando se inventó y desarrolló el sistema de candidatos oficiales a la procuración o diputación de Cortes, y más o menos lo mismo ocurre en todos los aspectos de la vida nacional.

Ahora bien, se vive en el siglo xx y la regeneración y la europeización son una exigencia ineludible. Lo son por necesidad interna, ya que de otro modo se produciría una desintegración asimismo interna, de la cual hay ya síntomas, y una pérdida del sentido nacional en segmentos importantes de la población, que harían bienvenida para muchos la conquista por un país extranjero. Hay también una exigencia exterior, ya que es necesario convivir con una Europa que en otro caso es posible que no consintiera en tolerar la independencia misma de España. La europeización es, pues, ineludible y urgente, y hay que hacerla

> admitiendo, y no es poco admitir, que Europa puede estar y esté propicia a darnos el tiempo necesario para hacer el ensayo, y admitiendo (concesión no más fundada que aquélla) que en la masa de la nación quede un fondo de energías latentes tales como las que Castilla atesoraba al advenimiento de los Reyes Católicos (p. 713).

En este caso es precisa de modo inmediato una revolución desde el poder, lo que, a su vez, requiere un cambio en el personal gobernante y la completa renovación de la prensa, para lo cual también será necesario el empleo del bisturí político. De esa necesidad no han cobrado conciencia las clases intelectuales y la Universidad, que han permanecido indiferentes a la catástrofe española y que siguen al margen de los movimientos de reconstitución de la Patria o de la agitación de las clases proletarias. Como decía en su información el Círculo de la Unión Industrial de Madrid, la cuestión se resume en que unos se dedicaron a defender a los antiguos políticos y otros se encerraron en torres de marfil, aislándose del pueblo.

> Se han encerrado en su concha, haciéndose patria de sus libros, de su pluma, de su pincel o de su microscopio; no se han acercado al pueblo para consolarlo y cogerlo de la mano y luchar con él por la conquista de su porvenir (p. 512).

Hay en estas quejas un resquemor por el vacío que esos intelectuales hicieron a la Asamblea de Zaragoza y a la Unión Nacional.

Las conclusiones las resume Costa en la necesidad de llevar a cabo una transformación honda y rápida del Estado español.

> Lo que hemos llamado revolución desde el gobierno, sacudiendo vigirosamente los espíritus para alumbrar en ellos los manantiales del *self-government* individual (p. 732).

Las oligarquías actuales son incapaces de llevar a cabo esta transformación, y las elecciones en su actual forma no parecen capaces de ayudarla. De ahí la necesidad de la formación de una liga o partido que presente un hecho inicial diferente en sus bases a todo lo presente. Entre una liga apolítica o un partido, prefiere esta última forma. El fracaso de la Liga Nacional de Productores ya había mostrado la contradicción de querer hacer política sin decidirse a una acción concreta.

Todo ello sería posible en el supuesto de que existiese un cuerpo electoral preparado. Pero incluso «de esa incapacidad, de esa mayoría de edad carece la gran masa de los españoles» (p. 736).

Dedúcese de lo que antecede que las elecciones únicamente podrían admitirse en serio a título de ficción jurídica, regida por principios de tutela (p. 737).

Hay más caminos que el de las elecciones, caso de que ese lo fuese. Queremos poner mano en las palancas del Estado, pero no por medios teóricos e imposibles. Somos oportunistas en igual línea que los políticos, los cuales, en tanto que la vía de las elecciones no se hace cursable para el efecto de advenir a la vida pública, utilizan estos dos: la *revolución* de la calle o el *pronunciamiento* militar, y la *prerrogativa* del poder moderador (p. 739).

Según Costa, éstos serían los caminos para llevar a cabo su programa. Recordando que la Restauración implantó la seudo-monarquía constitucional oligárquica por medios antiparlamentarios, no rechaza en último término esas mismas fórmulas para destruirla. Sin embargo, hay que entender más bien estas afirmaciones como unas simples amenazas al Gobierno para inducirle al cambio mediante presiones indirectas. Aparte de estas amenazas, los medios de regeneración ya los había expuesto antes en forma de remedios orgánicos y jurídicos, y en cuanto al régimen político que deseaba lo había definido claramente como un sistema presidencialista fuerte, con separación de los poderes ejecutivo y legislativo, que fuera capaz de destruir la oligarquía para poder llegar al ideal de *self-government*.

Resume Costa en 12 apartados al final de la información sus conclusiones:

1) Cambio radical en la aplicación y dirección de los recursos y de las energías nacionales.

2) Reforma de la educación en todos sus grados e impulso de su desarrollo rápido e intenso.

3) Abaratamiento de los alimentos y, para ayudarlo, mejora de los métodos agrícolas y política hidráulica.

4) Mejoramiento de caminos, especialmente secundarios.

5) Suministro de tierra cultivable, con calidad de posesión perpetua e inalienable, a los que la trabajen y no la posean. Esto se llevará a cabo mediante la suspensión de la desamortización civil, el restablecimiento de formas colectivistas tradicionales y, en último caso, mediante la expropiación forzosa.

6) Legislación social teniendo en cuenta las tradiciones patrias; previsión y seguros.

7) Restablecimiento del crédito monetario nacional.

8) Creación de un poder judicial nuevo, simplificando y abaratando los procedimientos.

9) *Self-government* local, aboliendo el criterio de uniformidad y tutela. Generalización del sistema de concejo o democracia directa.

10) Renovación del *liberalismo abstracto* y legalista imperante que ha buscado solamente crear y garantizar las libertades públicas con el instrumento ilusorio de la Gaceta, substituyéndolo por un *neo-liberalismo* orgánico, ético y substantivo, que atienda a crear y afianzar

dichas libertades con actos personales de los gobernantes, principalmente dirigidos a reprimir con mano de hierro a caciques y oligarcas y así cambiar el régimen africano que nos infama por uno europeo de libertad y *self-government*.

11) Ejecución de todo lo anterior de modo simultáneo, sumarísimo y por inmediato decreto.

12) Renovación del personal gobernante en todos los niveles de la administración.

VIIl

Elementos de «oligarquía y caciquismo»

1. Pesimismo y personalismo.

Algunos de los párrafos que hemos citado en el capítulo precedente se podrían tomar aislados como base para acusar a Costa de autoritario o revolucionario, pero un análisis de conjunto no permite sostener semejantes opiniones. Hay, ciertamente, en él un general desprecio al legalismo, pero este desprecio está basado no en un rechazo del sistema parlamentario, sino en la negación del carácter representativo al parlamento español. También desconfía de las elecciones porque no cree que los partidos del momento representen al pueblo, no porque rechace las elecciones en sí; ataca al elector porque le irritaba su pasividad. Sabemos lo que le dolía que el pueblo no sintiera su propia obsesiva impaciencia.

En su deseo de romper el círculo vicioso de la política de la Restauración, a veces piensa en acudir a revoluciones o a formas tutelares o incluso pronunciamientos militares para poder instaurar una auténtica democracia, pero en estas afirmaciones, incluso quitándoles la mucha retórica que tienen, es revelador que ponga en el mismo nivel revolución y formas autoritarias. El que alguien pueda ofrecer con indiferencia esas alternativas es ya suficiente razón para pensar que no se tomaba en serio ninguna de las dos y para suponer que más bien se trata de amenazas dirigidas al gobierno y al parlamento a fin de obligarles a cambiar de alguna forma su política. Sin embargo, en la formulación de esas aseveraciones y en la de la política quirúrgica influyeron una serie de elementos que requieren algún breve comentario.

Uno de estos elementos es el pesimismo de Costa, cuyas raíces están, según creemos, en su impaciencia, o mejor dicho, en la lentitud que el pueblo español mostró en reaccionar en contra de los caciques, en unirse a sus llamadas a la acción política, en desear una revolución. Este pesimismo va aumentado y es especialmente agudo a partir del 98. Sin embargo, nunca fue continuo, sino esporádico. Quizá en esta actitud puede haber algo de lo que Tierno Galván califica de autodidactismo e intelectualismo, de la reacción del solitario que ve la realidad no respondiendo a sus propios esquemas mentales [1].

En 1902 llega a la «desconsoladora conclusión que ahora empezamos a deletrear: España carece de aptitudes para la vida moderna» [2]. En 1907 escribe a Silvio Kossti que iba a «llorar los años de vida perdidos en

---

[1] E. Tierno Galván, *Costa y el regeneracionismo* (Barcelona, 1961), pág. 136.
[2] *Ibíd.*, pág. 147.

perseguir una utopía—la resurrección de un cadáver putrefacto» (3). En 1908 piensa que «si España ha perdido el pulso es porque no merecía vivir» (4). El mismo se encontraba en un «estado de irritación y depresión de ánimo invadido por una desesperanza y una amargura no nada mansa ni resignada» (5).

Las imprecaciones que le arranca la falta de reacción de los españoles tienen aire bíblico:

> Nación unisexual, compuesta de 18 millones de mujeres, afrentadas, comprimidas, puestas al tormento, selladas cien veces por el látigo, y sin embargo inertes doctoras en servilismo y mansedumbre... España ha muerto y no resucitará al tecer día. El Norte devorará al mediodía (6).

Cuatro años más tarde corregía: «No; España no es una nación unisexual; es una nación sin sexo. No es una nación de mujeres, es una nación de eunucos» (7).

A este pesimismo, sin embargo, sucedían períodos de fe sincera en el porvenir. Pero estas manifestaciones depresivas tienen una frecuencia suficiente para que nos permitan suponer que durante el último período de su vida llegó, llevado por su impaciencia y carácter algo atribiliario, a dudar seriamente de las posibilidades de regeneración de España y a preguntarse si no se daban

---

(3) M. CIGES APARICIO, *Costa, el gran fracasado* (Madrid, 1931), página 191.
(4) J. COSTA, *Maestro, escuela, patria* (Madrid, 1916), pág.. 214.
(5) J. COSTA, *La tierra y la cuestión social* (Madrid, 1912), página 138.
(6) J. COSTA, *prólogo a La ley del embudo*, de PASCUAL QUERAL (Huesca, 1897), pág. XVII.
(7) J. COSTA, *Los siete criterios de gobierno* (Madrid, 1915), página 176.

en nuestro país las condiciones de decrepitud y corrupción insalvables que, según su concepción político-jurídica, harían justificable una dictadura temporal; pero estas dudas y preguntas fueron siempre discontinuas y en ningún caso las aceptó o incorporó seriamente a su doctrina política.

Otro elemento muy importante que hay que tener en cuenta en su actitud es su personalismo, nacido en parte como una reacción contra el formalismo, pero también quizá de alguna razón más honda: de esa tendencia tan profundamente española hacia la integración de la idea en la persona que a partir de los trabajos de Américo Castro podemos comprender mejor.

> El hombre hispano no se sintió nómada aislado cuando se alzó ante él otro hombre que era como él, aunque de calidad mayor y mejor que la suya. De ahí el caudillismo, el caciquismo y en último término el mesianismo (8).

De ahí también el rechazo de formulismos no encarnados que expresó Costa en forma tan vehemente a través de sus escritos. «Hombres, hombres, no papel mojado, es lo que necesitan los pueblos en disolución» (9).

Es natural por ello que pidiera «uno de esos poetas de la acción, constructores de ciudades, cinceladores de pueblos» (10).

Esta actitud ya la mantenía cuando describía en 1875 en su diario una visita a Salmerón, con quien había sos-

---

(8) AMÉRICO CASTRO, *España en su historia* (Buenos Aires, 1948), página 619.
(9) COSTA, *Los siete...*, pág. 138.
(10) *Ibíd.*, pág. 73.

tenido una conversación sobre política española, sobre la que Salmerón se mostraba

> … tan pesimista como Giner y en verdad que con semejante escepticismo no podía salvarse en sus manos la democracia. Son buenos profilácticos, pero malos médicos, y médicos es lo que hace falta en la política de este siglo, no *representantes voluntarios*, no pilotos para tiempo de calma, sino tutores, hombres excepcionales…, cuando dijo que los aragoneses se habían distinguido siempre y aún hoy por su talento político, dije para mí que tenía razón. Espero probárselo: primero en el discurso del doctorado (sobre la Revolución española); segundo, en otra parte (¿en las Cortes, en el sillón de la dictadura?) (11).

Este personalismo, con tan hondas raíces en la concepción española de la vida, cristalizó en el mesianismo ambiental con que se pretendía superar el desastre.

2. *Mesianismo.*

No conocemos ningún libro sobre el mesianismo en España, a pesar de lo sugerente del tema. Este fenómeno es común a muchas situaciones históricas. En épocas de crisis, cuando todo un pueblo se siente frustrado o fracasado y necesita un nuevo planteamiento de la validez de sus propias formas de vida, se encuentra ante una cantidad de posibilidades complejas y muchas veces ajenas a su propio ser que le hacen sentirse per-

---

(11) J. ANTÓN DEL OLMET, *Joaquín Costa* (Madrid, 1917), página 104.

dido; es mucho esfuerzo el que la historia le exige al tener que aceptar una excesiva responsabilidad y al tener que abandonar todo un mundo de prejuicios. Entonces aparece el mesianismo; vendrá el «hombre» a salvarle y a conducirle y así le será posible librarse de la responsabilidad histórica pasándosela al esperado mesías. Es un fenómeno típico de los pueblos decadentes o derrotados. Aparece con frecuencia en España, donde encaja en algunas de las actitudes vitales básicas del español, llegando a tener una enorme vigencia alrededor de la catástrofe del 98. Tiempo atrás los arbitristas habían pedido casi unánimemente un «hombre», pero la derrota hizo consciente este deseo en el gran público; el tema incluso llegó a ser tratado en versión burlesca; el éxito del momento era en el Teatro Apolo el sainete *Aquí hase farta un hombre,* de los hermanos Cuevas.

Estos elementos—urgencia un poco angustiosa y un personalismo muy español con matices mesiánicos— los integra Costa en su ideal de neoliberalismo, que así queda formulado de manera definitiva. El pedir un régimen presidencialista no representa en realidad una modificación profunda de su posición, sino un plegarse a un cambio de circunstancias concretas.

Por algunas de sus afirmaciones citadas aisladamente, se ha acusado a Costa de favorecer la dictadura o, incluso de prefascista. No creemos, empero, que esas opiniones resistan un análisis objetivo. En primer lugar, hay dos tipos de teorías sobre la dictadura: las que la consideran un estado anómalo y momentáneo, que sólo circunstancias anormales justifican y que debe cesar para dar paso a la democracia, y aquéllas que consideran la democracia un régimen malo en sí, que debe desaparecer y ser superado por un sistema autoritario definitivo y superior. La diferencia entre ambos tipos es tal que cualquier intento de mezclarlos es signo de ceguera o de malicia.

Ya vimos que, al igual que muchos tratadistas liberales, admite Costa en ciertas circunstancias anómalas la dictadura y que se planteó el problema de la existencia en España de esas circunstancias. Sin embargo, aunque en momentos de desaliento aparezcan párrafos que se pueden interpretar como una admisión de este tipo de gobierno, en todo momento reafirmó su fe en el neoliberalismo basado en el parlamentarismo y en el *self-government*. Suelen olvidar los que dudan de su continua reafirmación de este principio que en 1901, es decir, coincidiendo con *Oligarquía y caciquismo*, y después de la encuesta sobre tutela, Costa llevó a cabo en *El problema de la ignorancia del derecho* su más avanzada y rotunda afirmación doctrinal del principio de *self-government*, hasta extremos que rozan el anarquismo. Aparte de este trabajo teórico, su última actuación política en contra de la ley de orden público muestra su continuada preocupación por la libertad individual.

Resulta extraño que se considere tendencia autoritaria el querer reducir las funciones del parlamento, independizándolo del poder ejecutivo, cuando esa reducción tenía como único objeto democratizarlo al destruir su infraestructura caciquil. La información sobre oligarquía no había tenido otro objeto que demostrar el carácter no representativo de aquel parlamento.

Considera Tierno Galván que lo único qué separaba a Costa del autoritarismo fascista en aquel momento era el no centrar el poder en el Estado (12). Pero ésta no es una diferencia accidental, sino fundamental, y Costa quería reducir al mínimo ese poder para que los organismos sociales y los individuos disfrutaran de un absoluto *self-government* y libertad civil. El régimen que preconizaba es bastante similar al de cualquier democracia presidencialista.

Otros defectos reales pueden encontrarse, y se han encontrado, en su ideología política, y hay uno fundamental, como ya en la información de Oligarquía observaron, entre otros, Emilia Pardo Bazán y, posteriormente, Azorín en uno de sus artículos: ello es el disociar tan completamente oligarquía y pueblo. En realidad, su interrelación es mayor, y es algo ingenuo esperar un cambio demasiado radical con la desaparición de algunos caciques. Los procesos sociales se desarrollan de manera más lenta que los deseos impacientes de Costa (13).

3. *Europeización.*

Hemos visto la importancia que la europeización de España tiene tanto en *Oligarquía y caciquismo* como en casi todas las demás obras de Costa, especialmente a partir del 98. Vamos a hacer aquí algunas breves referencias a este aspecto de su pensamiento, por considerar que ha sido valorado ya con exactitud en los primeros años del siglo xx según indica la serie de comentarios que a este respecto hicieron los pensadores de aquella época.

---

(12) TIERNO GALVÁN, *op. cit.*, pág. 192.
(13) AZORÍN, *De Valera a Miró* (Madrid, 1959).

La deuda que con respecto a la adquisición de la conciencia de Europa tienen los españoles fue reconocida por Maeztu:

> Debemos a Costa la conciencia de que Europa es un problema que todo español culto ha de plantearse para hallar una solución al problema de España... No podríamos decir que Costa ha resuelto este problema;· pero sin que Costa lo hubiera planteado, seguiría siendo imposible resolverlo... A Costa debemos que sea Europa un ideal y no meramente una expresión geográfica (14).

Al tiempo de reconocer el valor de este planteamiento, las nuevas generaciones señalaron sus limitaciones. Así Ortega comentaria que:

> La necesidad de europeización me parece una verdad adquirida, y sólo un defecto hallo en los programas de europeísmo hasta ahora predicados, un olvido, probablemente involuntario impuesto tal vez por la falta de precisión y de métodos, única herencia que nos han dejado nuestros mayores. ¿Cómo es posible si no que un programa de europeización se olvide definir Europa? (15).

Esta definición la hizo Ortega y fue aceptada por la nueva generación. Maeztu recoge la explicación que

> nos ha dado Ortega y Gasset al decirnos que Europa es precisión, exactitud, Lógica y Matemáticas, y la aplicación de la Lógica y de las Matemáticas, en todo lo posible, a los mundos del Arte y de la

---

(14) Ramiro de Maeztu, *Debemos a Costa* (Zaragoza, 1911), página 21.
(15) J. Ortega y Gasset, *Obras completas* (Madrid, 1946), I, 99.

Moral, al Derecho y a la Economía, a la Industria y al Comercio, a la Historia y a las Ciencias Naturales. No encuentro en Costa un concepto tan preciso sobre Europa. La diferencia que Costa establece entre Europa y Africa me parece ser más cuantitativa que cualitativa. Europa en sus ojos se mueve más, progresa más, cobra más fuerza, invade, amenaza. La diferencia sustancial que Costa encuentra es de aceleración (16).

Estas diferencias en el enfoque no reflejan una simple posición académica, sino que representan un cambio de actitud ante la cultura. Fueron reiteradas con motivo de la pequeña polémica a que dio lugar un artículo que publicó J. Cejador en el *Heraldo* con el título «Costa rectificado» (17). En él atacaba el nuevo europeísmo, que consideraba basado en la creencia de ser España el enfermo y Europa la medicina. Para Cejador ello llevaba envuelto el descuido del estudio del enfermo, previo a cualquier intento de modificación o cura.

Este artículo fue impugnado por Ortega y Maeztu, unidos entonces por estrecha amistad; en sus críticas acusan a Costa y a Cejador de historicistas. Afirma Maeztu que Europa se ha de entender ·en su sentido espiritual y no geográfico, y que, por tanto, no tiene sentido confundirla con el «extranjero», con algo diferente y ajeno. España sólo se puede comprender realmente partiendo de Europa:

---

(16) MAEZTU, *op. cit.*, pág. 26.
(17) Publicado el 10 de marzo de 1911. La contestación de Ortega, con el título "Observaciones", está incluida en el vol. I de sus *Obras completas* (ed. 1946). La de Maeztu, "Europeísmo", lo está en el libro *Debemos a Costa*.

Lo inmediato es hacer comprender a nuestras clases intelectuales el ideal de Europa: Europa como ciencia, Europa como historia universal (18).
Sin la historia universal, la de un país carece de sentido (19).

Estos pasajes, que ofrecen una perspectiva del europeísmo de Costa, son válidos en líneas generales. Son útiles también para mejor comprender la actitud de sus autores; en ellos se transparenta una clara conciencia de representar algo nuevo en la cultura española.

---

(18) Maeztu, *op. cit.*, pág. 75.
(19) *Ibíd.*, pág. 73.

INFLUENCIA EN LA GENERACIÓN DEL 98

1. El regeneracionismo.

Hay que diferenciar en Costa al estudioso de nuestro pasado, al preocupado por nuestro derecho consuetudinario, al investigador del colectivismo agrario, al autor de obras sobre poesía popular, costumbres, filología, etc., del político que lanzándose a la acción en medio de la angustia y la impaciencia entra en la vida pública con un programa acuñado en frases fáciles, accesibles y positivas, que en poco tiempo le pusieron en primer plano de la escena nacional.

Entre estos dos aspectos hay una perfecta correlación. Costa, con una actitud romántica historicista, investigó nuestro pasado movido por una obsesiva preocupación de resolver los problemas nacionales, intentando extraer de nuestra historia y nuestra literatura las soluciones políticas y jurídicas creadas por el pueblo español. Esa misma obsesión le hizo luego construir apresuradamente con algunos de los resultados de su búsqueda un programa de urgencia que pudiera servir de solución inmediata. Su anterior trabajo era, y sigue siendo, poco conocido, siendo ésta una de las razones de que se haya entendido mal su programa político; las fórmulas de emergencia, en cambio, pasaron al público y por algún tiempo se convirtieron casi en credo nacional.

Ese momento fue el regeneracionismo. Se caracteriza este movimiento por el paso a primer plano de la política española de una serie de personas: Mallada, Macías Picavea, Isern, etc., que ofrecieron a la nación, en un momento de fracaso y hundimiento, un programa de soluciones envueltas en lenguaje pragmático y cientifista y con carácter de neutralidad política, soluciones concretas a problemas concretos, casi todas de carácter económico y educativo, que se pretendía que fueran impuestas con suma urgencia por cualquiera de los partidos turnantes, con indiferencia de las formas de gobierno o de las doctrinas políticas teóricas. El desastre del 98 actuó de catalizador de este movimiento, que encontró su portavoz y jefe en Joaquín Costa.

El regeneracionismo ha sido, en general, poco estudiado. En el próximo capítulo intentaremos señalar algunas de las fuerzas sociales y las corrientes ideológicas que lo integraron.

Este movimiento estaba formado por personas de las más diversas procedencias políticas, si bien hicieron abstracción de todas esas diferencias doctrinales y basaron su programa en «hechos»; sus libros están llenos de estadísticas, datos matemáticos, observaciones sociológicas, de culto a la «ciencia», en fin. La mayor parte de sus iniciadores no eran políticos profesionales, algunos ni siquiera abogados—revolucionaria novedad en nuestra política—. En general, se les podría considerar como el grupo que ensayó la aplicación de la ciencia positiva a fines del xix a la resolución de los problemas nacionales.

Laín Entralgo los considera como «la versión del arbitrismo que corresponde a los supuestos del nacionalismo democrático» (1), señalando como notas del regeneracionismo la política de realidades, la fe en la revitalización de España y la autarquía de la nación en esta obra de soteriología histórica. Muy acertado es el enlazarle con el abolengo arbitrista, del cual no es sino una versión adaptada al lenguaje y al ambiente del momento.

Releyendo los resúmenes que hace Tierno Galván de varios libros regeneracionistas, muchas veces no se puede evitar el pensamiento de que, paradójicamente, nos parezca Costa, portavoz del grupo, bastante alejado de los demás miembros. Es natural que así sea; en Costa las conclusiones políticas concretas tienen detrás una vida entera de estudio y de investigación de la realidad humana y física de España, al mismo tiempo que un conocimiento de las corrientes culturales y filosóficas europeas bastante superior al de sus compañeros. En ellos, detrás de sus fórmulas caseras, sólo hay estadísticas, ciencia «experimental». En Costa el regeneracionismo de recetas caseras no es sino un momento de su obra; en los demás es toda ella. Ciertamente se puede calificar al grupo de nuevos arbitristas,

_____

(1) PEDRO LAÍN ENTRALGO, *España como problema* (Madrid, 1956), I, 110.

pero sin duda esta calificación le viene estrecha al escritor de Graus.

Pronto se unieron a este grupo por algún tiempo varios intelectuales que habían permanecido hasta entonces al margen de la política, entre ellos Cajal, que escribe: «Yo, al igual que muchos jóvenes entonces, escuché la voz de la sirena periodística. Y contribuí modestamente a la vibrante y fogosa literatura de la regeneración, cuyos elocuentes apóstoles fueron, según es notorio, Costa, Macías Picavea, Paraíso y Alba. Más adelante sumáronse a la falange de los veteranos algunos literatos brillantes: Maeztu, Baroja, Bueno, Valle Inclán, Azorín» (2).

Pocos españoles jóvenes se libraron de ese influjo; la atracción era demasiado fuerte, e incluso muchos, aunque le abandonaron, siguieron después conservando sus huellas. El regeneracionismo se introdujo en todos los ámbitos de la vida nacional; sobre él aparecieron chistes; incluso en el Teatro Lírico se llegó a representar *La Regeneración*, de Fernández Palomero, con música de Calleja. De manera cómica o seria, la idea estaba en el aire y a ella se unieron por algún tiempo los jóvenes escritores del grupo que luego se llamaría del 98. Todos ellos se diferenciaban de los regeneracionistas en que simplemente *aceptaron* sus soluciones, no las crearon.

---

(2) Santiago Ramón y Cajal, *Recuerdos de mi vida* (Madrid, 1923), pág. 294.

2. Unamuno.

En este capítulo vamos a estudiar la influencia de Costa solamente en cuatro miembros del 98: Unamuno, Baroja, Azorín y Maeztu. En ellos influye en diferente grado y manera; la huella mayor se encuentra en Unamuno, que conocía bien los trabajos de Costa anteriores a su actuación política; en esta huella trasciende al momento meramente político. En los demás, que se lanzarán a la acción formando el grupo de «los tres», hay diversos grados de influencia: profunda y duradera en Azorín y Maeztu, temporal en Baroja, quien únicamente recogió consignas políticas de urgencia en el momento del desastre.

Empezaremos con un análisis de la influencia en Unamuno, el mayor de los cuatro y el único que estaba unido a Costa por una amistad anterior a la catástrofe del 98.

Al igual que Costa, busca Unamuno un símbolo de la regeneración en la reelaboración de un mito nacional. Costa había pedido en varios discursos «doble llave al sepulcro del Cid» para que no volviera a cabalgar, pero al mismo tiempo que enterraba al Cid guerrero exaltaba al Cid ciudadano, al Cid que en Santa Gadea se convirtió en portavoz del derecho.. Unamuno grita «¡Muera Don Quijote!» para exaltar a Alonso Quijano el Bueno. Ambos querían liberar al pueblo del peso de un pasado heroico que le oprimía y estorbaba.

La historia externa de los siglos de grandeza estaba construida sobre una concepción del mundo de los valores vitales que había fracasado. Relegar esa historia

171

al sitio que le correspondía—a las bibliotecas o los museos—era la primera exigencia de un cambio que se mostraba ineludible. Una vez cumplida esa condición, los españoles podrían retornar al fondo de la intrahistoria, lleno de posibilidades irrealizadas. Del contacto de esa intrahistoria con el espíritu europeo había de salir la España del futuro.

Sin embargo, los españoles llevaban siglos acostumbrados a la contemplación de arquetipos históricos ideales que exaltaban las virtudes heroicas como el Cid y Don Quijote, y ante esto tanto Costa como Unamuno se propusieron «intrahistorizar» esos arquetipos, ofrecer al pueblo nuevos ideales que pudieran sustituir a los antiguos. Costa lucha contra aquellos que cifran su admiración por el Cid en considerarlo el perfecto servidor de la monarquía, contra aquellos que afiliarían al Cid en el «partido carlista o en el moderado histórico, empleando denominaciones usuales en nuestro tiempo» (3). Ahora debemos pensar en la figura del Cid defensor de la democracia y de la ley: el Cid de Santa Gadea. Unamuno, con una diferenciación más sutil, opone a las heroicas hazañas de Don Quijote la vida sencilla del buen hidalgo manchego Alonso Quijano.

España, la caballerosa España histórica, tiene, como Don Quijote, que renacer en el eterno hidalgo Alonso el Bueno, en el pueblo español, que vive bajo la historia, ignorándolo en su mayor parte por su fortuna. La nación española—la nación, no el pueblo—, molida y quebrantada, ha de curar, si

_____

(3) JOAQUÍN COSTA, *Tutela de pueblos en la Historia* (Ma-

cura, como curó su héroe para morir. Sí, para morir como nación y vivir como pueblo (4).

Ojalá en España se pudiese olvidar la historia nacional (5).

> Conservó Don Quijote, bajo los desatinos de su fantasía descarriada por los condenados libros, la sanidad moral de Alonso el Bueno, y esa sanidad moral es lo que hay que buscar en él. Ella le inspiró su hermoso razonamiento a los cabreros; ella le dictó aquellas razones de alta justicia, como usted muy bien indica, amigo Ganivet, en que basó la liberación de los Galeotes.
>
> Pero sucede, por mal de nuestros pecados, que cuando se invoca en España a Don Quijote es siempre que se acomete a los molinos de viento (6).
>
> Tiene, sí, que morir Don Quijote para renacer a nueva vida en el sosegado hidalgo que cuide de su lugar, de su propia hacienda. Y si se me arguye que el mismo hidalgo Alonso murió en cuanto volvió a su juicio, diré que creo firmemente que el fin de las *naciones* en cuanto tales está más próximo que lo que pudiera creerse—que no en vano el socialismo trabaja (7).

El mito está restaurado. El Cid en Santa Gadea y Alonso el Bueno eran ya arquetipos de la regeneración; se les había dado un nuevo valor al transformarlos de símbolos de la tradición histórica en símbolos de la tradición intrahistórica. En ambos casos esta

---

drid, 1911), pág. 169.

(4) MIGUEL DE UNAMUNO, *Obras completas* (Madrid, 1958), V, 713.

(5) *Ibíd.*, pág. 714.

(6) *Ibíd.*, IV, 961.

(7) *Ibíd.*, pág. 964.

transformación fue mal comprendida y parte de la crítica sólo recogió el aspecto destructivo, más fácilmente accesible, de esa postura.

Ese llegar a la intrahistoria había de exigir una intensificación de las investigaciones.

> Un pueblo nuevo tenemos que hacernos sacándolo de nuestro propio fondo, Robinsones del espíritu, y ese pueblo hemos de irlo a buscar a nuestra roca viva en el fondo popular que con tanto ahínco explora don Joaquín Costa investigador, a la vez que del derecho consuetudinario, de la antigüedad ibérica (8).

No se limitó Unamuno a una simple invitación a este tipo de investigaciones, sino que predicó con el ejemplo, colaborando en la obra de Costa *Derecho consuetudinario y economía popular de España* (9) con un trabajo sobre algunas instituciones consuetudinarias de Vizcaya, tales como aprovechamientos comunes, seguro para el ganado, etc. Este estudio no se basa en leyes o fueros escritos, sino en una observación directa de la vida rural, valiéndose a veces de la lingüística. Al igual que los autores de otros trabajos coleccionados en esta obra, recoge aspectos inéditos hasta entonces, siguiendo una valiosa línea de investigación que contaba en España con pocos antecedentes.

Es un trabajo donde, a pesar del rigor científico en que se desarrolla, reaparece a veces el Unamuno más

---

(8) *Ibíd.*, pág. 966.
(9) Incluido en JOAQUÍN COSTA, *Derecho consuetudinario y economía popular de España* (Barcelona, 1902), II, 37-69. Publicado antes en *Revista Crítica de Historia y Literaturas Españolas, Portuguesas e Hispano-Americanas*, I (II-1896), 73-75.

conocido, preocupado por problemas religiosos y filosóficos. Aunque el tono científico se matiene en el texto, se deslizan en las notas de pie de página observaciones bastante poco «positivistas». Esta curiosa y casi olvidada faceta de la obra de Unamuno habría quizás que relacionarla con la exhaustiva preparación documental de su novela *Paz en la guerra*.

Como en Costa, el deseo de Unamuno de instropección intrahistórica, de «reconstitución» de España mediante la búsqueda del pueblo olvidado en la historia oficial, va acompañado del imperativo de la «europeización», aspecto suficientemente estudiado de su pensamiento para detenernos en él.

Aparte de estas posiciones más bien culturales, cabe preguntarse: ¿tenía Unamuno algún programa relativamente sistemático de política positiva a principios de siglo? Creemos que si bien ese programa no lo formuló de manera unitaria, sus líneas generales se pueden deducir de su obra.

En primer lugar, su actitud ante la política oficial de la época es similar a la mantenida por el movimiento regeneracionista. Política que «se reduce al arte de la producción, reparto y consumo del presupuesto» (10).

Las causas en que se basan buena parte de los males de esa política las busca en el parlamentarismo doctrinario jacobino, frente al que defiende un régimen descentralizado que

> acabaría con las elecciones por encasillamiento gubernativo y, por ende, con el régimen de los actuales partidos; con este desdichado sistema, en que

----

(10) UNAMUNO, *op. cit.*, IV, 1049.

no puede gobernar ministerio que no cuente con mayoría absoluta en el Parlamento. El mantenimiento de tal régimen y con él de los resortes electorales en que descansa, es la causa de las más de nuestras desgracias (11).

Es decir, Unamuno se sentía tan alejado de la política y de la forma parlamentaria al uso como la mayor parte de los intelectuales de la época; en intención y lenguaje es difícil diferenciarle de cualquier regeneracionista.

Aparte de estas notas negativas, también tenía un programa del que comentaba Ganivet en una de las cartas que le escribió (coleccionada en *El porvenir de España*):

Muchas contradicciones hallará el lector en el programa de usted, pero yo sólo hallo una. La alianza que usted establece entre regionalismo, socialismo y lo que llama carlismo popular, suena aún a cosa incongruente, y, sin embargo, es la fórmula política en la nueva generación y es practicable dentro del actual régimen. Municipio libre, que sirva de «laboratorio socialista» (la frase es de Barrés) y del cual arranque la representación nacional, que los electores tienen abandonada: una representación efectiva que sustituya a la representación parlamentaria y una autoridad fuerte, verdadera, que garantice el orden y la cohesión territorial. Esta combinación da más libertad práctica que la actual centralización. Donde yo encuentro que usted se contradice es al enlazar su cristianismo evangélico con sus ideas progresivas en materia económica (12).

_____

(11) *Ibíd.*, pág. 1048.
(12) *Ibíd.*, pág. 1009.

Esta es una larga cita, pero creemos que su enorme interés justifica el que la reproduzcamos. Es esto también, en nuestra opinión, un resumen del credo de Costa; no de las frases acuñadas que pasaron al gran público, sino de los aspectos más profundos de su concepción política. Nos muestra este párrafo hasta qué punto se convirtieron las ideas de Costa en patrimonio común de un amplio grupo de intelectuales, de modo que Ganivet pudo decir que representaban «la fórmula política en la nueva generación».

A esa «fórmula política», que escapa a las categorías clásicas de los partidos, no pudo Ganivet dar el nombre y se limitó a describir algunos de sus aspectos. El no dar nombre a esa doctrina—ya que el de «neoliberalismo» no tuvo fortuna—fue una de las causas de su falta de éxito práctico y de la incomprensión que le acompañó. La fórmula no encajaba en las clasificaciones habituales y por ello parecía contradictoria a muchos; aún hoy se sigue hablando de los «dos Costas». Vamos a analizar ahora brevemente algunos de los elementos de esta política.

¿Qué era lo que Unamuno llamaba «carlismo popular»? Ya antes había estudiado a fondo el carlismo (parte de los materiales de su investigación los empleó en su novela *Paz en la guerra*) y siempre había distinguido entre carlismo «oficial», el de Mella y *Correo Español*, y carlismo popular, al que definía como

> *inefable,* quiero decir inexpresable en discursos y programas; no es materia oratoriable. Y el carlismo popular, con su fondo socialista y federal y hasta anárquico, es una de las últimas expresiones del pueblo español... Cuando se habla de mi Viz-

caya, en seguida se acuerdan todos de los dichosos fueros, ignorándose que mucho más que los tales fueros le importa al aldeano vizcaíno el cierre de los montes que fueron del común un día (13).

«El carlismo puede decirse que nació contra la desamortización, no sólo de los bienes del clero y los religiosos, sino de los bienes del común» (14); es en el fondo una expresión de la vieja democracia municipal española, asentada en formas de colectivismo agrario y opuesta al vacío liberalismo doctrinario culpable de la desamortización. Todo ello se combinó con el integrismo del carlismo oficial. Para Unamuno, taxativamente, «lo hondo y popular del carlismo, quien lo formuló fue Costa» (15).

Ya hemos visto la importancia que el regionalismo y la descentralización propugnados por Unamuno tuvieron en la obra de Costa. La descentralización tenía hondas raíces tanto en la condición de aragonés de éste como en su formación intelectual, y en una u otra forma se incorporó a todos sus programas. Reafirmó en aquella época su postura ante el problema en el prólogo que escribió para el libro de A. Royo Villanova *La descentralización y el regionalismo* (16).

Unamuno ve el regionalismo como un problema profundamente ligado a la estructura económico-social.

Y este problema del regionalismo, que surgirá con fuerza así que salgamos de la actual crisis, sur-

---

(13) *Ibíd.*, IV, 991.
(14) *Ibíd.*, III, 1139.
(15) *Ibíd.*, VII, 1028.
(16) A. ROYO VILLANOVA, *La descentralización y el regionalismo* (Zaragoza, 1900). Con un prólogo de J. Costa.

girá combinado con el problema económico social. El revivir del carlismo no es más que un mero síntoma del regionalismo en cierto modo socialista, o del socialismo regionalista. Y ¿por qué no decirlo?, es el fondo anarquista del espíritu español, que pide forma, expresión, desahogo (17).

Nos podemos preguntar qué entendía Unamuno por socialismo.

Creía en esta época que los dos polos alrededor de los que gira la vida de un pueblo son el sentimiento religioso y el régimen de propiedad, principalmente de la propiedad rural (18), y para él, igual que para Costa, la destrucción de la propiedad colectiva de los pueblos llevada a cabo por la desamortización representó un crimen monstruoso, del cual no se ha recuperado el campesino español. Esta destrucción de la propiedad comunal ha convertido en trágica mentira al liberalismo del XIX. El español

> ya es libre, puede ir donde le plazca; pero a donde quiera que vaya, como no se arroje de cabeza al mar, el suelo será de otro, y tendrá que someterse al yugo si quiere comer. Esclavizada la tierra, se liberta al hombre. Está ya acotado el campo (19).

Se rebela contra el derecho quiritario de la propiedad restablecido por el liberalismo: «La concepción jurídica que de la propiedad abrigan los pueblos acaparadores de la tierra» (20). Y reconoce la deuda que tene-

---

(17) UNAMUNO, *op. cit.*, IV, 998.
(18) *Ibíd.*, V, 991.
(19) *Ibíd.*, III, 83.
(20) UNAMUNO, *ibíd.*, IV, 1079.

mos con Costa por estudiar y dar a conocer instituciones que sobrevivieron a este proceso. Como escribi-
ría Ganivet a Unamuno:

> ¿No hay acaso en España tradición socialista?
> ¿No es posible tener un socialismo español? Por-
> que pudiera ocurrir, como ocurre, en efecto, que
> en las antiguas comunidades religiosas y civiles de
> España estuviera ya realizado mucho de lo que hoy
> se presenta como última novedad. Creo, pues, más
> útiles y sensatos los estudios del señor Costa, de
> quien usted hablaba con justo elogio, que los dis-
> cursos de muchos propagandistas que aspiran a
> reformar España sin conocerla bien (21).

El influjo de *Colectivismo agrario* que reflejan todas
estas citas es obvio, lo que unido a sus lecturas de
economía le llevaron a un tipo especial de socialismo
bastante alejado de la ortodoxia marxista, un socialismo de base agraria como el propugnado por Costa.
Como él, cree Unamuno que estas variaciones en el
planteamiento de la situación de España lograrían ga-
nar de nuevo la confianza de las masas neutras que
permanecían alejadas del parlamentarismo doctrinario.
En cuanto a la autoridad fuerte que pedía, ya hemos
visto el importante papel que su necesidad tuvo en
el pensamiento de Costa, compatible con estos otros
aspectos del programa.

No conocemos ningún estudio sobre este importante
texto en que Ganivet describe la fórmula política de
Unamuno y de la nueva generación, y que éste acepta
como suya. Ha habido, sí, intentos de clasificarle polí-

---

(21) *Ibíd.*, 973.

ticamente sobre todo en su primera época, clasificaciones que muchas veces él mismo rechazó; pero los intentos que conocemos creemos que han fallado en clarificar el problema.

Entre estos intentos podríamos citar el de Dardo Cúneo en su ensayo «Unamuno y el socialismo» (22), donde recuerda la participación que tuvo aquél en la fundación del semanario socialista de Bilbao *La lucha de clases* y recoge varias citas en que Unamuno se declara «casi» socialista militante. ¿Lo era? No lo creemos si se piensa en términos de marxismo. Tampoco lo cree en su autorizada opinión el escritor soviético Ilya Ehremburg, en el ensayo con que prologa el libro *Unamuno y el marxismo*, de Armando Bazán: «En la historia de la revolución española pasará como un representante y defensor de segundo plano de la revolución burguesa» (23). El autor de dicho libro se expresa en términos parecidos:

> Los filósofos de su estilo no se comprometen: en ellos todo es cuestión «de curiosidad». Están un día con los latifundistas, otro día con los banqueros. Pero nunca estarán con los trabajadores explotados (24).

Federico Urales, en su libro *La evolución de la filosofía en España*, un clásico del anarquismo, reproduce

---

(22) DARDO CÚNEO, "Unamuno y el socialismo", en *Cuadernos Americanos*, III (1948), 103-116.
(23) ARMANDO BAZÁN, *Unamuno y el marxismo* (Madrid, 1935), página 29.
(24) *Ibíd.*, pág. 67. Una investigación posterior nos ha hecho modificar básicamente las opiniones expuestas en este capítulo sobre las relaciones de Unamuno con el socialismo y el anarquismo, pero preferimos dejar este capítulo en su forma primitiva y exponer nuestras nuevas conclusiones en otro trabajo de próxima aparición.

una carta con la que Unamuno contestó a una encuesta que hizo *La Revista Blanca* en 1900, a la que pertenecen estos párrafos:

> Mis lecturas de economía (más que de sociología) me hicieron socialista, pero pronto comprendí que mi fondo era y soy, ante todo, anarquista. Lo que hay es que detesto el sentido sectario y dogmático en que se toma esa denominación (25).

Habla seguidamente Unamuno, aceptándolo, del anarquismo de Ibsen, Kierkegaard y Tolstoy. Creemos que esta cita desautoriza la hipótesis de encuadrarle de modo riguroso en el anarquismo revolucionario, por más que por algún tiempo colaborara en revistas de esa tendencia. En cambio, acepta la descripción, aunque no definitiva, que hace Ganivet de su fórmula política. La correspondencia de todos y cada uno de los términos de la descripción de Ganivet con las ideas de Costa nos llevaría a afirmar que Unamuno fue el escritor del 98 en quien más profundamente influyeron esas ideas. No, Unamuno no era socialista o anarquista. Unamuno era costista, y ello de manera profunda. Si se convirtió en regeneracionista, lo hizo al igual que Costa, manteniendo unas fórmulas concretas como simple envoltura exterior de una ideología más compleja y más profunda, y en ello se diferencian los dos hombres de personas como Mallada o Picavea, limitadas a un superficial cientificismo positivista.

Hasta aquí los parecidos entre Costa y Unamuno, pero también, incluso en ese período, les separaban grandes

---

(25) FEDERICO URALES, *La evolución de la filosofía en España* (Barcelona, 1934), II, 207.

diferencias. Unamuno pensaba que la vida de los pueblos giraba sobre dos polos, la propiedad de la tierra y la religión. Este centramiento en la religión faltaba en Costa y de esta falta se queja Unamuno: «Este problema religioso, el más hondo, el más vital, lo soslayó siempre» (26).

Esto era suficiente para separarles y, en efecto, se fueron apartando cada vez más. Ganivet encontraba una real contradicción entre el especial cristianismo de Unamuno y su fórmula política; quizá Costa también. En todo caso, de la contradicción salió mal parado el progresismo, aunque algunos de sus elementos siguen apareciendo en escritos posteriores. Ya no es Alonso Quijano su modelo; durante un período intermedio lo será el pastor Quijotiz.

Igual que Don Quijote al volver derrotado a la aldea pensó en hacerse pastor, así España derrotada en América había de dedicarse a cultivar su hacienda y a hacer política hidráulica. Sin embargo,

> no basta como ideal de la vida de un pueblo el de mantener la vida misma en el mayor bienestar y holgura, ni aun basta la felicidad (27).
>
> Encerrémonos, bien está, en la natal dehesa, pero a cobrar fama pastoreando y cantando. Es un derivativo de la acción heroica; es otra nueva empresa (28).
>
> Hay que aspirar, de todos modos, a hacerse eternos y famosos no sólo en los presentes sino en los venideros siglos (29).

(26) UNAMUNO, *op. cit.*, III, 1141.
(27) *Ibíd.*, IV, 345.
(28) *Ibíd.*, pág. 346.
(29) *Ibíd.*, pág. 347.

Así, por un momento hizo compatible el ideal quijotesco con la política hidráulica. Aunque pronto es sólo Don Quijote el símbolo; Unamuno finalizaría por abominar de su propio regeneracionismo.

> Aquella hórrida literatura regeneracionista, casi toda ella embuste, que provocó la pérdida de nuestras últimas colonias americanas, trajo la pedantería de hablar de trabajo perseverante y callado... En esta ridícula literatura caímos casi todos los españoles, unos más y otros menos, y se dio el caso de aquel archiespañol Joaquín Costa, uno de los espíritus menos europeos que hemos tenido, sacando lo de europeizarnos y poniéndose a *cidear* mientras que proclamaba que había que cerrar con siete llaves el sepulcro del Cid (30).

Su antirregeneracionismo lo había expresado claramente en «La vida es sueño», ensayo que data de 1903: «No pasa de ser un tópico de retórica que no nos sale del corazón, sino de la cabeza. ¡Regenerarnos! ¿Y de qué, si aún no nos hemos arrepentido?» (31).

> ¡Maldito lo que se gana con un progreso que nos obliga a emborracharnos con el negocio, el trabajo y la ciencia, para no oír la voz de la sabiduría eterna que repite el «vanitas vanitatum» Este pueblo, robusta y sanamente misoneísta, sabe que no hay cosa nueva bajo el sol. ¿Que yace en retraso? ¿Y qué? Dejad que los otros corran, que ellos pararán al cabo. ¿Que yace en la ignorancia? ¡Ignorancia! ¡Cuánto más grande es la ignorancia de los privados, que no la ciencia de los públicos! ¡Ignorancia! Ellos saben mucho de lo que igno-

---

(30) *Ibíd.*, pág. 23.
(31) *Ibíd.*, III, 407.

ran, y los regeneradores, en cambio, ignoran casi
todo lo que saben. Es una ciencia divina la ciencia de la ignorancia; es más que ciencia, es sabiduría (32).

Con este rechazo del progresismo, sin embargo, no
rechaza Unamuno a Costa; todo lo contrario. Le considera muy por encima de este movimiento y continúa
compartiendo alguna de sus actitudes culturales básicas. Cree en el fondo que el regeneracionismo no fue
sino una moda pasajera y una parte puramente accidental en la obra de Costa. Pensaba que algún día se olvi-
darían sus fáciles frases propagandistas, pero que que-
daría su labor más fecunda: el amoroso estudio de la
realidad española, de su derecho consuetudinario, de su
economía popular, su intento de buscar raíces nacionales a las nuevas corrientes sociales y políticas. Esta parte de la obra de Costa dejó huella indeleble en Unamuno, que siempre gustó de señalar las afinidades personales que les unían.

A pesar de ello, no creemos que Unamuno abandona-
ra completamente el «regeneracionismo». En el prólogo
que escribió al libro *Cirugía política* del costista colom-
biano Enrique Pérez, afirma: «Uno de los más útiles y
más eficaces procedimientos médicos es el de inspirar
al enfermo confianza en sus propias fuerzas y no alar-
marle demasiado, no sea que se acobarde» (33).

A esta clase de regeneracionismo dedicó el resto de su
vida.

---

(32) *Ibíd.*, pág. 409.
(33) *Ibíd.*, VII, 277.

3. *Azorín.*

Decía Azorín que las mayores influencias que había recibido eran las del paisaje de España, de los clásicos españoles y las ideas de Costa (34). Estas ideas, a las que tanta importancia concede, influyen en varias direcciones. Azorín, además de tomar parte en la política activa del movimiento regeneracionista, es el fiel cronista de la participación en él de la incipiente generación del 98. Investiga Azorín también los antecedentes del costismo, y las ideas de Costa condicionan varias de sus actitudes frente a la cultura e historia de España.

Para él la generación del 98 pudo existir

> gracias al ambiente crítico que la precedió; domina todas las influencias la de Joaquín Costa. El tal ambiente es tanto de crítica literaria como social. Costa político y erudito da el tono a todo ese período histórico (35).

Azorín en su libro *Madrid* nos ofrece unas notas impresionistas del momento. Vemos allí desfilar las preocupaciones del grupo por España y Europa, la sensación que causó Baroja al darles a conocer *Los males de la patria* de Lucas Mallada, la imposibilidad en que se encontraban aquellos jóvenes escritores de permanecer indiferentes ante esos males agudizados por el desastre colonial. «Había que intervenir. La idea de palingenesia de España estaba en el aire» (36).

---

(34) WERNER MULLERTT, *Azorín* (Madrid, 1930), pág. 138.
(35) AZORÍN, *Obras completas* (Madrid, 1947), IX, 1148.
(36) *Ibíd.*, VI, 224.

El grupo ya se había escindido, y Azorín, Baroja y Maeztu pasarán a formar una agrupación más íntima con comunes intereses por la sociología, la política y la acción social. Ya eran «los tres», e iniciaron su acción redactando una serie de proclamas y manifiestos entusiastas, generosos, algo ingenuos, que conservan hoy en día buena parte de su frescura juvenil y nos dan una clara visión de la situación espiritual de sus autores.

De esta forma explican en uno de los manifiestos sus deseos y su desorientación:

> En España, como decíamos antes, hay un gran número de hombres jóvenes que trabajan por un ideal vago... La cuestión es encontrar algo que canalice esa fuerza, algo que sirva de lazo de unión entre todas esas energías dispersas y sin rumbo. No puede servir de base de unión de unos y de otros el dogma religioso, que unos sienten y otros no, ni el doctrinarismo republicano o socialista, ni siquiera el ideal democrático... Sin embargo, de esta disparidad de ideas y sentimientos, hay... un deseo altruista común de mejorar la vida de los miserables. Y este mejoramiento sólo lo puede dar la ciencia, única base iderruible de la humanidad (37).

Y continúan pidiendo la aplicación de «la ciencia» a los problemas sociales.

En estos manifiestos expresan ideales y piden soluciones típicamente regeneracionistas, ideales y soluciones costistas. «La juventud intelectual tiene el deber de dedicar sus energías, haciendo abstracción de todo, a

---

(37) Citado en RAMÓN GÓMEZ DE LA SERNA, *Obras completas* (Barcelona, 1956), I, 1045-46.

iniciar una acción social fecunda, de resultados prácticos» (38). Buscando consejo y adhesión para esa acción social escribieron a Unamuno, que les contestó con bastantes reservas en una carta en la que ya muestra su desengaño.

> No me interesa sino secundariamente lo de la repoblación de montes, cooperativas de obreros campesinos, cajas de crédito (aquí las hay) y los pantanos, ni creo que sea eso lo más necesario para modificar la mentalidad de nuestro pueblo y con ella su situación económica y moral... No espero casi nada de la japonización de España... Lo que el pueblo español necesita es cobrar confianza en sí, aprender a pensar y sentir por sí mismo (39).

También les proponía alguna modificación en el manifiesto.

Describe Azorín esta aventura política y la desilusión que la siguió en forma de fábula en su novela *La voluntad*, trasladando la acción a «Nirvania» y llamando a «los tres» Pedro, Juan y Pablo: tras el nuevo movimiento de la industria y el comercio, tras la información del Ateneo, los tres amigos deciden secundar a «Antonio Honrado» (Costa) y escriben una proclama, pero cometen el error de pedir firmas de adhesión a todos los hombres egregios del país. Estos les aconsejan ir modificando su escrito hasta que éste se convierte en una aceptación casi alegre de la situación del país.

---

(38) AZORÍN, *op. cit.*, VI, 225. Otros aspectos de la aventura regeneracionista de "los tres", pueden encontrarse en LUIS S. GRANJEL, *Panorama de la generación del 98* (Madrid, 1959).
(39) *Ibíd.*, pág. 226.

Hay en la fábula un triste fatalismo: «Los viejos son escépticos..., los jóvenes no quieren ser *románticos*... Todos clamamos por un renacimiento y todos nos sentimos amarrados en esta urdimbre de agios y falseamientos» (40).

Aún dieron a Azorín, después de esta primera desilusión, el encargo de redactar otro manifiesto al ministro de Instrucción Pública, pidiéndole que enviara escritores pensionados a Europa; además de la «regeneración» era necesaria la «europeización» de España. Este escrito se llegó a presentar e imprimir. Referencias a todas estas actividades se pueden encontrar en el *Panorama* de Granjel.

Maeztu describía la desilusión que quedó en los tres después de estos fracasos: «Cuando cesamos de dar gritos para volver la mirada a nuestro alrededor, nos encontramos dolorosamente que las cosas seguían como antes» (41).

Su entusiasmo juvenil se estrelló contra la inmovilidad de la sociedad española.

Sin embargo, el interés de Azorín por la regeneración continúa después de esta desilusión a pesar de que pronto siente sus ideales anulados por un escepticismo corrosivo. Importante aspecto de este interés es su estudio de los eslabones que unen el arbitrismo clásico con el regeneracionismo: olvidados autores, libros que seguramente no habían sido leídos desde su publicación, fueron desempolvados, leídos y comentados, y así escribió una historia fragmentaria, personal, de esa

---

(40) AZORÍN, *op. cit.*, I, 826.
(41) RAMIRO DE MAEZTU, *La revolución y los intelectuales* (Madrid, 1911), pág. 34.

larga serie de críticos e intelectuales que pretendieron dar soluciones concretas a problemas que se repetían con una desesperante continuidad. Es lástima que no recogiese en libro estos trabajos sueltos, que hubieran dado una visión de conjunto útil a todos los preocupados por el «problema de España». En estos artículos estudia oscuros economistas, obras de políticos, de científicos que tuvieron poca o ninguna influencia, pero en los que se encuentran admirables visiones proféticas, audaces y actuales.

Elegiremos como ejemplo de estos trabajos los tres capítulos que bajo el título «Precursores de Costa» incluye en *Clásicos y modernos*. Examina en ellos dos tipos de escritores: Francisco Cabarrús y Fermín Caballero, representantes de un regeneracionismo puramente económico, y otro grupo con Ramón de la Sagra, Guillermo Lobé y Ramón Torres Muñoz de Luna, partidarios de un regeneracionismo europeísta, de una dirección «científica» de gobierno, dirección que «llega, pasando por Costa, al núcleo de profesores y eruditos que ha llegado actualmente a dar su forma más definida y sistemática a la tendencia» (42).

En esas figuras está ya toda la parte regeneracionista del pensamiento de Costa, la «escuela y despensa», la importancia del progreso de la agricultura, de los regadíos, de la enseñanza rural.

No ha hecho Costa sino sintetizar—maravillosamente, excusado es decirlo—la corriente social y política iniciada en el siglo XVII (43).

---

(42) AZORÍN, *Obras...*, II, 824.
(43) *Ibíd.*, IX, 1141.

También estudia a otros escritores más conocidos, como Ward, Jovellanos, Valentín Almirall, Pompeyo Gener, Lucas Mallada, Macías Picavea. Estos ensayos muestran la huella del Costa historicista, del Costa que sostenía que cualquier intento de renovación debería ir acompañado de una búsqueda de sus antecedentes nacionales, de un conocimiento profundo de nuestra tradición intelectual. Alguna de las olvidadas figuras del siglo XVIII y XIX habían sido ya estudiadas en *Colectivismo agrario*. Hay también influencias de Costa en el acercarse de Azorín al pueblo, en el buscar una información de primera mano, estudiando sus costumbres, sus formas de hablar, sus creencias, y eso lo hizo Azorín desde la salida de Madrid siguiendo la ruta del Quijote, en sus crónicas de *Los pueblos* de Castilla, si bien sus observaciones están llenas de contemplación lírica. Tanto en sus primeros libros de viajes como en sus primeras novelas—basta tomar como ejemplo *La voluntad*—encontramos multitud de ideas de Costa y actitudes de éste en sus críticas de la política de la época. Al igual que en Unamuno, en Azorín la etapa regeneracionista concreta pasa pronto; pero la influencia de Costa, más profunda, continúa posteriormente en actitudes básicas.

Azorín abandona el regeneracionismo, como antes lo había hecho Unamuno, para dar paso a la contemplación estética. Algunos de sus escritos posteriores traen a la memoria las ideas que Unamuno expresó en «La vida es sueño»:

> Era seca España y así debía ser. No sentía Silvino Poveda deseos de que España fuera de otro modo. Había asistido en su juventud al desenvol-

vimiento, fulgurante e impetuoso, del verbo de
Joaquín Costa, y se había dejado arrastrar por
aquel pesimismo magnífico, inspirado, ciertamente, en el amor a España. Veía ahora su inanidad.
A Silvino le parecía ahora inanidad el ansia tu-
multosa de hacer de la España seca una España
húmeda. ¿Y todo para qué? ¿Y para qué tanta
imprecación, tanta truculencia, tanta palabrería in-
dignada? Pantanos, canales, azarbes, represas, pozos artesianos, riegos varios y múltiples, ¿iban a
salvar a España? ¿Iba la salvación de España a
consistir en que hubiese agua en todos los campos? España tenía su fisonomía legendaria, secular, y no podía perderla. Silvino Poveda sonreía
ahora de sí mismo. El hombre de ahora tenía ciertamente menosprecio por el hombre de antaño.
Le parecía—no se lo decía a nadie—que estuviese
antaño errado en su concepto del europeísmo. El
verdadero europeísmo semejábale al presente el
que cada nación tuviese un cariz particular e in-
confundible. Lo propio bueno privativo había que
intensificarlo. Y lo propio de España era el ser
seca. Además, el llamado espíritu europeo lo repu-
taba por una engañifa (44).

Pero España, ¿es Africa o Europa? La cuestión
le preocupaba hondamente. Si España era Africa,
¿por qué habíase de atribuir un concepto deni-
grativo a tal semejanza? ¿Es que podía justificarse
el menosprecio de Africa? Silvino Poveda, estu-
diándose a sí mismo, se sentía africano. Y claro es
que no se lo decía tampoco a nadie. Pero era africano, en tanto que buen alicantino, por su silencio,
por su gusto de la inmovilidad, por sus yantares
sobrios, por su goce del momento presente, por su
odio al maniquismo, a la superstición de la ciencia

_____

(44) *Ibíd.*, VI, 746-47.

y al mentido progreso incesante del género humano (45).

¡ Y qué bien se sueña aquí, en esta tierra seca, apartado del mundo, sin grandes necesidades, sin ansia de inmortalidad, contemplando a veces, desde la cima de un monte, el Mediterráneo azul, que se aparece allá en lontananza (46)

También, al igual que Unamuno, Azorín conservó una profunda veneración por Costa al que dedicó varios ensayos. En ellos nos dejó un retrato emocionado que no creemos haya sido superado.

4. *Maeztu y Baroja.*

Profunda es también la huella de Costa en Maeztu, alcanzando prácticamente a toda la obra de éste. Es ya patente en su primer libro, *Hacia otra España* (1899), lleno de ecos doloridos de la catástrofe y de deseos de renovación, libro de un hombre que, como sus compañeros de generación, se sentía desligado de casi todo lo que representaba la España de su tiempo. Pero algo hay de que se siente solidario: la Asamblea de Zaragoza. Dedica a esta asamblea un capítulo donde reconoce que allí hablaron los únicos que en España tenían derecho a hablar: las clases productoras, mantenidas al margen de la política activa hasta entonces. En este despertar ve Maeztu la mejor esperanza para una España del futuro.

Advertimos ahora un alejameinto de los partidos políticos, una ruptura con los frustrados ideales de nuestros padres.

---

(45) *Ibíd.*, pág. 748.
(46) *Ibíd.*, pág. 750.

Ya no hablan de ellos más que los empleados y los periodistas. «¡Horrible silencio!», gimen las prensas. «¡Silencio admirable!», exclamamos nosotros. Ha dejado de ser la cosa pública el tema principal de las conversaciones; más interesan los negocios privados. «¡Egoísmo mortal!», se dice... Egoísmo salvador para las reses vigorosas, que son las que avaloran y acreditan el rebaño (47).

Parecía que había una dispersión entre las nuevas fuerzas, pero llegaron las asambleas de Zaragoza y en medio del silencio universal aparece la voz de Costa.

Acertó el señor Costa a colocar junto al dolor fugaz de la derrota el secular de nuestras tierras altas, y ante su gallardía y elevación de espíritu exclamó nuestro pueblo: «¡Por fin se me habla en lenguaje sincero!»

Trazó el señor Costa el cuadro de redención sin apelar a los viejos colorines de libertad y de orden.

La realización de estos ensueños no la pedía el señor Costa a una revolución ni a un pronunciamiento, sino a una noción de ingeniería, a la hidráulica. Y pensó España: «¡He aquí a un hombre nuevo!» (48).

Sin embargo, su adhesión a Costa es limitada. Se aparta de su pesimismo y cree sana la «falta de pulso» del país, su indiferencia por la política. La nueva España vendría de modo fatal a través de una transformación económica, y es la economía, y no la política, lo único que debe interesar a los españoles. Es el capitalismo de las regiones periféricas el que, movido por la necesidad de crear un mercado para sus productos

_____

(47) RAMIRO DE MAEZTU, *Hacia otra España* (Madrid, 1899), página 232.
(48) *Ibíd.*, pág. 234-35.

industriales, transformará la agricultura de las mesetas. Se figura Maeztu, en una semiparábola, lo que pasaría si Costa fuera nombrado ministro de Fomento, y cree que fracasaría: ninguna acción gubernamental ayudaría a la transformación de España: ésta vendría de modo fatal por la misma fuerza de las leyes económicas, y el único deber de políticos y escritores es no estorbarla. Para Maeztu, Costa es una de las pocas voces cercana a su generación, generación que se sentía huérfana:

> No hay un literato de renombre que acierte a hablar al alma de los españoles contemporáneos... Sólo un escritor, Pérez Galdós, ha desentrañado del burbujeo de los gérmenes la España capitalista que se nos echa encima (49).

En ello está de acuerdo con Azorín, el cual pensaba que:

> cuando pase el tiempo se verá lo que España debe a tres de sus escritores de esta época: a Menéndez y Pelayo, a Joaquín Costa y a Pérez Galdós. El trabajo de aglutinación espiritual, de formación de una unidad ideal española, es idéntico, convergente, en estos tres grandes cerebros (50).

La teoría de la decadencia la toma también Maeztu de Costa, haciéndola basar en la imperfecta selección social:

> En nuestra España desventurada, por una lamentable derogación de las leyes dinámicas, por una inversión de las tablas de valores sociales, ha

(49) *Ibíd.*, pág. 206.
(50) AZORÍN, *Obras...*, II, 629.

prevalecido, erigiéndose en directora y dominadora, la raza de los inútiles, de los ociosos, de los hombres de engaño y discurso, sobre la de los hombres de acción y pensamiento de trabajo (51).

Esta doctrina de la ausencia de los mejores la tomaría en su día Ortega de la misma fuente, desarrollándola y ampliándola.

Nos preguntamos aquí qué influencias pudo tener la ideología de Costa con su continuo esperar en un «hombre» como salvación, un hombre que habría de tener cualidades de superhombre, en el éxito fulgurante y pintoresco que tuvo la ideología de Nietzsche entre los jóvenes que se agitaban en el Madrid posterior al 98, influencia que ya aparece en *Hacia otra España*, éxito de un Nietzsche mal conocido y peor entendido, como después reconocerían varios de los flamantes nietzscheanos. Aclarar esas relaciones ayudaría a entender aspectos de un momento histórico cuya confusión a veces resulta desorientadora.

Algunas opiniones expresadas posteriormente por Maeztu parecen apoyar esta hipótesis:

> Yo había leído a Nietzsche por patriotismo. La flojedad que sentí, en torno mío, durante los años de las guerras coloniales terminadas en 1898 con la agresión de los Estados Unidos, que a su prestigio de potencia invencible unió la aureola de nación libertadora de pueblos oprimidos, me hizo sentir la necesidad de hombres superiores a los que teníamos. ¡Hombres superiores! Lo que España necesitaba era lo mismo que Nietzsche había predicado (52).

(51) Maeztu, *op. cit.*, pág. 15.
(52) Ramiro de Maeztu, *Ensayos* (Buenos Aires, 1942), pág. 245.

Pronto rectifica Maeztu y pasa a predicar el trabajo en equipo, dejando de esperar en un superhombre o cirujano de hierro.

> Es la generación entera, y no un solo hombre, lo que ha de realizar la obra reformista, porque la obra reformista ha de ser completa y es preciso distribuirse el trabajo, pero la iniciativa ha de ser individual (53).

En 1911 publicó Maeztu un librito con el título *Debemos a Costa*, en el que recogía en volumen siete ensayos publicados ya anteriormente. En ellos reconoce Maeztu una serie de deudas de todos los españoles.

> Debemos a Costa la posibilidad de que los partidos políticos de España se emancipen algún día de sus personalismos y de sus formalismos—¡las dos maldiciones que les esterilizan!—, y al adoptar por contenido la escuela y la despensa se conviertan en brazos de Dios en la tierra celtíbera (54).
> Debemos a Costa la conciencia de que Europa es un problema que todo español culto ha de plantearse para hallar solución al problema de España (55).
> Debemos a Costa la posibilidad de asentar actualmente el patriotismo español en los fines ideales de la Humanidad, por haberlo asentado en el amor al pueblo (56).
> Debemos a Costa un ejemplo de santidad acti-

---

(53) Citado en VICENTE MARRERO, *Maeztu* (Madrid, 1955), página 202.
(54) RAMIRO DE MAEZTU, *Debemos a Costa* (Zaragoza, 1911), página 11.
(55) *Ibíd.*, pág. 22.
(56) *Ibíd.*, pág. 31.

va que no se conforma con la vida personalmente
austera, sino que se consagra toda entera a los
demás en el esfuerzo y en el trabajo cotidianos.
Pero le debemos sobre todo un ejemplo de santi-
dad objetiva que llega al sacrificio de las opiniones
más queridas y profundas cuando descubre su insuficiencia para solucionar el problema planteado (57).

Si en 1898 fue Costa el corazón de España fue
sencillamente porque no había entonces otra conciencia más llena de posibilidades relativas al problema de España que la suya... (58).

Sentir es comparar. Don Joaquín sintió más
porque en 1898 había más comparaciones en su
espíritu que en el de ningún otro español (59).

En una palabra, la labor enorme de Costa no
había sido ni asimilada, ni criticada, ni depurada;
ni lo ha sido después. La España que vivía en su
conciencia, no vivía en las demás conciencias. Costa nos llamaba cobardes; no se hacía cargo que
no podíamos entenderle sencillamente porque éramos incultos (60).

Libro lleno de devoción, de respeto; libro de homenaje de un discípulo a su maestro. En él señala los
puntos en que su generación era deudora de las consignas de Costa.

Esta influencia se extiende a toda la primera época
de Maeztu, que él definía ideológicamente como liberal-
socialista. «Mi posición la he fijado al llamarme liberal-
socialista y al considerar al socialismo como economía

---

(57) *Ibíd.*, pág. 41.
(58) *Ibíd.*, pág. 53.
(59) *Ibíd.*, pág. 55.
(60) *Ibíd.*, pág. 66.

del liberalismo y al liberalismo como moral del socialismo» (61).

Y se continúa en su etapa posterior, en que, abandonando un socialismo influido por el fabianismo, va derivando hacia el socialismo gremialista y llega a ser uno de los colaboradores de su órgano *The New Age*. En este período considera que las clases populares han visto frustrado su deseo de verse representadas en el parlamento, dominado por una oligarquía capitalista, y propone otros tipos de representación de carácter gremialista con una reducción de la esfera del Estado. En sus ataques al parlamentarismo utiliza parte de la argumentación que Costa expuso en *Oligarquía y caciquismo*.

Todavía, en el lento camino de Maeztu hacia el autoritarismo, se encuentran ecos de Costa, pero toman la forma de ideas y frases aisladas como el «cirujano de hierro», con lo que pretende justificar la dictadura de Primo de Rivera. Pero aun estos ecos van desapareciendo. Su nueva posición merece una larga cita.

Costa nos aseguraba que éramos africanos, y los hombres de la Institución inventaban el tópico del pueblo cavernícola incapaz de progreso, con el que amedrentaron a los políticos y se hacían los administradores del presupuesto de Instrucción Pública, que luego se ha ido multiplicando de año en año hasta alcanzar proporciones astronómicas, sin que se vean por ninguna parte las maravillas culturales que iban a surgir de este derroche. Aquello que Costa predicaba se ha realizado íntegramente... Ahora nos damos cuenta de que España

(61)   Citado en V. MARRERO, *op. cit.*, pág. 323.

no contó con una cultura superior admirable sino en aquellos siglos XVI y XVII, en los que no tenía presupuesto de Instrucción Pública, y hasta para construir obras hidráulicas, que nos cuestan más de lo que valen, lo que se necesita es encontrar hombres que las dirijan con el tesón y el desinterés del canónigo Pignatelli, «para la mayor gloria de Dios», que es como han de hacerse todas las cosas grandes... Hay que vivir en el futuro una vida de virtud, que es lo fundamental, lo universal y lo eterno, y no una vida de escuela y de despensa, o de europeización, o de democracia (62).

Del grupo de «los tres» que inició aquella corta aventura regeneracionista, Baroja es el menos influido por Costa. La huella que éste dejó en Azorín y Maeztu sobrevive aquel juvenil entusiasmo perdurando en actitudes culturales y formas de pensamiento. Baroja, en cambio, parece simplemente haber aceptado unas influencias ambientales y momentáneas. Las pocas veces que posteriormente se refiere a Costa lo hace sin ningún aprecio.

Respecto a Costa confieso que siempre le tuve antipatía...; era uno de esos tipos de histrión que se dan siempre en los países meridionales (63).

A mí siempre me chocó el prestigio de aquel notario aragonés... Como digo, leí poco de don Joaquín Costa, y supongo que era un hombre muy soberbio y con una idea desmesurada de sí mismo (64).

---

(62) *Ibíd.*, págs. 724-725.
(63) PÍO BAROJA, *Obras completas* (Madrid, 1948), V, 216.
(64) *Ibíd.*, VII, 747.

5. El 98 y «Oligarquía y caciquismo».

Para terminar, vamos a reunir aquí los comentarios de Unamuno, Azorín y Maeztu a la información promovida por Costa sobre oligarquía y caciquismo, información que, volvemos a repetir, constituye un acontecimiento intelectual clave en la historia moderna de España; un auténtico proceso de la Restauración, puesta al banquillo por algunos de los mejores cerebros españoles.

Sólo Unamuno había sido invitado a tomar parte directa en el informe. Su contestación, fechada en mayo de 1901, es un texto poco conocido y de gran interés por corresponder a un período importante y transicional en la ideología del autor. No considera Unamuno el caciquismo un mal en sí, sino una consecuencia natural del estado del país. Este estado no es de decadencia o retraso, sino simplemente de barbarie; por ello el caciquismo es: «la única forma de gobierno posible dado nuestro íntimo estado social... La cultura ha sido siempre epidérmica y epidémica en España, a mi parecer» (65).

Por ello sólo cabe esperar que mejore la condición de los caciques, cuya existencia le parece inevitable. En nuestra sociedad

> no hay conciencia pública y apenas hay patriotismo, en esta sociedad amorfa, mal centralizada digan lo que quieran los regionalistas. Esto no es una nación vertebrada, con su centro motor y sen-

_____

(65) JOAQUÍN COSTA, *Oligarquía y caciquismo* (Madrid, 1902), página 487.

sible, sino una especie de equinodermo o radio-
lado, con glanglios acá y allá. A esto se debe su
vitalidad, de que en 1808 dio muestras, pero también su atraso (66).

En un pueblo enemigo de la ley abstracta, el cacique
representa la ley viva. Con esa estructura del país es
importante la existencia de un poder central que al sentirse responsable frente a Europa sirva de alguna forma
para refrenar el caciquismo; es enemigo, por tanto, de
una excesiva descentralización. En el fondo, «nuestra
historia toda es la lucha de un pueblo contra la vida
europea, que quería imponerle una minoría» (67).

Las minorías deben seguir luchando para imponer al
pueblo una progresiva desbarbarización; ésta es la única solución al problema. Deben las minorías, sin embargo, tratar de conocer mejor al pueblo que intentan
modificar. Muchas veces «la conciencia que se nos ha
querido dar riñe con nuestra subconciencia» (68). Como
ejemplo de esas contradicciones pone el haber querido
latinizar España, siendo como es uno de los pueblos menos latinos del mundo.

En todo caso, lo que necesitamos es vida interior; es
el problema religioso el primodial; lo que España necesita es una reforma religiosa indígena, y esa reforma
ha de venir no por ideas, sino por hombres, por apóstoles.

Esta contestación, bastante diferente de las del resto
de los informantes, marca un punto intermedio dentro

------

(66) *Ibíd.*, pág. 487.
(67) COSTA, *Oligarquía...*, pág. 491.
(68) *Ibíd.*, este texto no está incluido en las *Obras completas* de
UNAMUNO.

de la evolución de su autor entre el europeísmo de *En torno al casticismo* y sus ideas posteriores, pero se acerca más a estas últimas. Sigue admitiendo la necesidad de continuar el esfuerzo europeizador, pero da una importancia primordial a la reforma religiosa.

Los demás miembros de la generación, aún desconocidos, no participan en la encuesta. Sin embargo, algunos de ellos en ensayos posteriores dan su opinión sobre la memoria de Costa. Así Azorín, en su artículo «La idea de Costa», opina que éste se equivocó al pretender separar caciques y pueblo; al hacerlo Costa, a pesar de su pretendido positivismo, establecía una «causa primera»; según Azorín, hay una continuidad entre ambos: los caciques no son sino un exponente perfectamente representativo del pueblo (de esto era consciente Costa, aunque no quería confesarlo). En este artículo, en el que el autor habla de los regeneradores en primera persona, se ataca a Costa por su apego al parlamentarismo, y es uno de los más autoritarios de Azorín (69).

Maeztu se refiere varias veces a la encuesta sobre oligarquía, pero quizá donde lo hizo con más extensión fue en la conferencia «La revolución y los intelectuales», que pronunció en el Ateneo en 1910 (70). Para Maeztu lo característico de nuestro país no son las oligarquías, comunes a otros muchos países, sino su baja calidad; la esterilidad de las múltiples oligarquías que dominan nuestra patria: teocracia, plutocracia y burocracia; a los intelectuales, tal como actuaban entonces, había que

---

(69) Incluido sin fecha en AZORÍN, *De Valera a Miró* (Madrid, 1959).

(70) MAEZTU, *La revolución...*, págs. 7 y sigs.

incluirlos en la burocracia. Estas clases están en España agotadas, agotamiento que conducirá a la revolución, cuyos primeros síntomas veía Maeztu en los disturbios de Barcelona. Una revolución no es sino un proceso de estancamiento; el pueblo marcha, las oligarquías se detienen en vez de dirigirle, y el pueblo acaba por arrollarlas en forma violenta.

Su visión difiere de la de Costa en varios puntos: no cree en la correlación absoluta entre caciques y oligarcas, ni que siga existiendo en el pueblo una aristocracia natural, ni, en suma, que la oligarquía sea mala en sí. También difiere en los remedios, que basa en la reforma de los intelectuales mediante el trabajo y la recuperación de la responsabilidad social, que les habilitarían para volver a dirigir al pueblo. El problema es un problema de cultura; lo que diferencia a Europa de España es únicamente el mayor esfuerzo de los intelectuales.

Las opiniones de estos autores, aparte de ayudarnos a conocer su pensamiento y señalar los límites de su relación con Costa, nos permiten observar que el impacto ideológico que representó *Oligarquía y caciquismo* continúa bastante tiempo después de la encuesta en el Ateneo. Esta encuesta hizo que la investigación sobre el problema de España se enfocara desde un previo análisis de su estructura social, como primer paso para establecer cualquier teoría general. Antes, la mayor parte de las hipótesis que se habían formulado pecaban de apriorismo. Sin esta obra sería muy difícil comprender una serie de estudios posteriores, entre ellos *España invertebrada*, de Ortega y Gasset.

Hemos podido ver en las citas que hemos reproducido cómo los miembros de la generación del 98 tuvieron una época regeneracionista y la tuvieron en forma de grupo, de manera estrecha «los tres», algo más independiente Unamuno. Posteriormente, éste y Azorín abandonaron el regeneracionismo para entregarse a un escapismo estético, a un sueño contemplativo, dando a su continua preocupación por España soluciones líricas. Un camino semejante siguió Baroja.

Se pregunta Tierno Galván las razones de este desvío. «¿Qué razón hay para que los escritores que alcanzan notoriedad después de Costa se entreguen al esteticismo propio del humanismo antiguo y se olviden o rechacen el humanismo inmediato de base científica?» (71).

Lo atribuye a dos razones: una de carácter sicológico—el miedo a enfrentarse con las fuerzas que amenazaban con la revolución—y otra—de carácter económico—el notable mejoramiento del nivel de vida posterior a 1900, que restó agudeza a los problemas. La primera razón parece más convincente.

Cree Tierno Galván que el costismo desapareció y permaneció en estado latente hasta que fue recogido por el grupo generacional que asoció a Costa con el fascismo, y niega en todo caso cualquier influencia en la generación del 98. «Ya hemos indicado en el capítulo primero que el grupo generacionista estetizante que llamamos del 98 no admitió a Costa. Particularmente, los grandes escritores le silenciaron» (72).

Las citas que hemos reproducido—una pequeña se-

_____

(71) E. Tierno Galván, *Costa y el regeneracionismo* (Barcelona, 1961), pág. 25.
(72) *Ibíd.*, pág. 69.

lección de las que se podrían hacer—creemos que bastan para dudar de esta opinión y para afirmar que las ideas de Costa determinaron al menos la fase regeneracionista del 98.

La probable razón de este error es la aplicación que hace al problema de su definición del costismo como ideología que propagaba: «una dictadura ideológicamente neutral que subordinase las ideas a la eficacia para salvar el país de la situación de catástrofe en la cual se encontraba» (73).

Sin embargo, si como costismo entendemos simplemente el conjunto de ideas de Costa en sus dos aspectos —soluciones políticas programáticas y urgentes de su regeneracionismo, y actitudes generales hacia la cultura española—, los resultados a los que llegaremos son muy diferentes. Sin pretender entrar en los difíciles problemas que ello suscitaría, cabe incluso preguntarse aquí hasta qué punto la evasión lírica, la tendencia al ensueño, sería una de las notas diferenciales de la generación del 98 como tal generación. Esta tendencia no existió en absoluto en alguno de los miembros, como Maeztu, y en varios de los demás tiene características demasiado diferentes para reducirlas a un esquema unitario. Más compartida fue, en realidad, la tendencia regeneracionista. Es fácil encontrar escritos en los que la mayor parte de esos autores se refieren a la época posterior como una época de dispersión en la que tuvo lugar un mutuo alejamiento.

_____

(73) *Ibid.*, pág. 10.

X

BOSQUEJO DE LA INFLUENCIA POSTERIOR

1. Ortega.

Creemos que sería oportuno para completar este cuadro hacer alguna referencia a la influencia de las ideas de Costa en Ortega, lo que aclararía el problema de la existencia de su transmisión a otros grupos generacionales, y en dirección bien diferente a la señalada por Tierno Galván. Al mismo tiempo, y por tener esta influencia caracteres algo diferentes a la ejercida sobre la generación del 98, ayudaría a aclararla definiendo mejor sus límites.

Ya en una carta que Ortega dirigió a Unamuno y que éste publicó en su ensayo *Almas de jóvenes,* marca aquél algunas diferencias que le separaban del ambiente intelectual del 98, dominado entonces por el mesianismo, que había encontrado su portavoz en Costa.

Una de las cosas honradas que hay que hacer en España (como en Rusia), donde falta todo cimiento, es desterrar, podar del alma colectiva la esperanza en el genio (que viene a ser una manifestación del espíritu de la lotería), y alentar los pasos mesurados y poco rápidos del talento... Prefiero para mi patria la labor de cien hombres de mediano genio, que la aparición de ese genio, de ese Napoleón que esperamos, y que llamaba Baroja con el nombre de Dictador en el último o penúltimo número de *Alma Española*. Corre por todos los ánimos de los intelectuales nuestros de hoy un viento de *personalismo* corto de miras, estéril, que es lo más opuesto a nuestras necesidades (1).

No acepta Ortega, pues, el cirujano de hierro, el escultor de pueblos que pedía Costa; no acepta ni el mesianismo ni el personalismo que constituían la parte más peligrosa del programa. Introduce un nuevo espíritu de rigor y sistematismo en el panorama intelectual español que había de contribuir a su renovación.

La influencia de Costa en Ortega ya ha sido señalada por Marías en el volumen publicado de su excelente estudio sobre su maestro, pero en espera de que este trabajo sea completado querríamos citar aquí algunos párrafos de Ortega para mostrar hasta qué punto sólo adquieren sentido desde una perspectiva costista.

Elegiremos como ejemplo la conferencia *Vieja y nueva política*, título ya usado por Giner y Costa, dirigida a la Liga para la Educación Política Española. Observemos que el nombre, *Liga,* fue también empleado por Costa en varias de las organizaciones a través de las que intentó llevar a cabo su fallida acción política. En esta conferencia, Ortega vuelve a señalar el absoluto

---

(1) MIGUEL DE UNAMUNO, *Obras completas* (Madrid, 1958), III, 723.

alejamiento que sienten los jóvenes del aparato político creado por la Restauración con el nombre de monarquía constitucional.

> La España oficial consiste, pues, en una especie de partidos fantasmas que defienden los fantasmas de una idea y que, apoyados por las sombras de unos periódicos, hacen marchar unos Ministerios de alucinaciones (2).

Habla aquí Ortega de sus diferencias con Costa, que pensaba que todos los males de España provenían de vicios de las clases dirigentes. Para Ortega la España oficial consistía tanto de gobernantes como de gobernados. En esto coincidía con la crítica que habían hecho los escritores del 98 a la encuesta sobre oligarquía y caciquismo. Es esta diferencia quizás una de las más importantes líneas divisoras que separan a las nuevas generaciones de Costa.

La nueva política es menester que comience a diferenciarse

> La nueva política es menester que comience a diferenciarse de la vieja política en no ser para ella lo más importante... la captación del gobierno de España, y ser, en cambio, lo único importante el aumento y fomento de la vitalidad de España (3).

Se admite la posibilidad de que la sociedad y el Estado Español entren en conflicto, y en ese caso frente

---

(2) José Ortega y Gasset, *Obras completas* (Madrid, 1957), II, 274.
(3) *Ibíd.*, pág. 276.

al Estado defensor del orden público habría que elegir la sociedad. «Consideremos el Gobierno, el Estado, como uno de los órganos de la vida nacional; pero no como el único, ni siquiera el decisivo» (4).

Todo esto no es sino una repetición de las críticas antidoctrinarias, antiformalistas, en que se habían basado los ataques de los krausistas y de Costa a la Restauración. Párrafos semejantes hay en los dos ensayos *la política antigua y la política nueva* que precedieron a la conferencia de Ortega.

> Hay que exigir a la máquina del Estado mayor, mucho mayor rendimiento de utilidades sociales que ha dado hasta aquí; pero aunque diera cuanto idealmente le es posible dar, queda por exigir mucho más a los otros órganos nacionales que no son el Estado, que no son el Gobierno, que es la libre espontaneidad de la sociedad (5).

También comparte con Costa las dudas en el vigor de la raza; sin embargo, también confía en el futuro. Las líneas del programa que ofrece son:

> aquella afirmación genérica de liberalismo a que antes me refería (y que incluye en sí, naturalmente, a todos los principios del socialismo y del sindicalismo en lo que tienen de no negativos, sino de constructores) (6).

Liberalismo que no es, como en Costa, el de los partidos turnantes, sino que tiene preocupación por los pro-

---

(4) *Ibíd.*, pág. 277.
(5) *Ibíd.*
(6) *Ibíd.*, pág. 292.

blemas sociales, si bien rechazando dogmatismo e internacionalismo: «No acertamos a separar la cuestión obrera de la nacional». Recordemos los intentos de Costa de recrear un colectivismo autóctono.

No es nuestro propósito profundizar en el análisis de la influencia de Costa en Ortega, que creemos bastante grande—basta recordar el papel central que tiene en Ortega la idea del patriciado natural dirigente de la sociedad—; únicamente queríamos establecer la continuidad de una parte importante de sus ideas políticas en los párrafos citados.

2. La «superación» de las ideas de Costa.

A partir de la muerte de Costa, su influencia disminuye notablemente. Sus libros dejan de editarse y sus ideas, que habían llegado a saturar el ambiente, son recogidas y transmitidas por otros escritores que las ofrecen en un lenguaje más cercano al gusto posterior.

Creemos que sería útil cerrar este capítulo con un breve bosquejo de las valoraciones posteriores de su pensamiento.

Nos encontramos, en primer lugar, con la existencia de varios escritores que rechazan a Costa por corto de miras, por creer que su pensamiento era ramplón y alicorto. Así Salaverría escribía en 1916:

> Su alma era de pequeño vuelo, no supo elevarse a las grandes alturas ideales..., abrumó a España con sus pesimismos y condenaciones. Y estamos aún bajo el peso de su adversa sombra (7).

_____
(7) José María Salaverría, "La sombra pesimista", en *A B C*, 31 de marzo de 1916, pág. 5.

En el mismo tono escribe Eugenio d'Ors algunas páginas de su *Glosario*, afirmando que la dictadura de Primo de Rivera termina el ciclo de política realista que inició Costa. Este cerró con una primera llave el sepulcro del Cid, y con otras seis llaves lo cerraron la Unión Nacional, Paraíso, el catalanismo regionalista, Cambó, el socialismo oficial y Primo de Rivera. Este tipo de política tuvo para d'Ors sus valores y detuvo el derrumbamiento de España. Sin embargo, ya se nota la necesidad de algo diferente:

> Necesitamos de otro Costa para la nueva jornada, para el ciclo nuevo. Necesitamos del arbitrista genial que articule en un programa detallado la solución, casi técnica ya, de los programas planteados en España por una inspiración de idealismo —de Cultura—, como Costa hizo con los que planteaba en su tiempo el imperativo del realismo: la necesidad de vivir (8).

Desgraciadamente, lo que se popularizó de Costa fueron sus discursos políticos de última hora y sus frases algo ramplonas. Su ingente obra anterior permaneció olvidada en bibliotecas y hemerotecas. Esto explica la evidente injusticia de estas apreciaciones.

Fueron también frecuentemente las quejas contra su estilo. Antonio Espina opinaba: «En Costa nos carga el acento. El acento auspiciante —monocorde—, peripatético» (9).

---

(8) EUGENIO D'ORS, *Nuevo glosario* (Madrid, 1947), pág. 707.
(9) ANTONIO ESPINA, reseña al *Ideario de Costa*, de J. GARCÍA MERCADAL, en *Revista de Occidente*, 301 (1930), 139.

3. *Costismo autoritario y costismo liberal.*

Sin embargo, más interés tiene la suerte que siguió la valoración de sus ideas políticas como tales. Ya vimos que en las mismas respuestas a *Oligarquía y caciquismo* se plantea el problema de su clasificación. Algunos de los consultados, si bien una minoría, pensaron que Costa propugnaba una dictadura. Esto es difícilmente sostenible, pero lo fue mediante la cita parcial de alguna de sus doctrinas, principalmente las referentes al «cirujano de hierro». Era fácil para muchos encarnar este cirujano de hierro en la figura de un dictador absoluto. Tierno Galván, en la parte de su libro que dedica a los regeneracionistas, señala cómo entre los costistas hubo desde el principio tantos liberales como autoritarios. Estas direcciones se continúan y así nos encontramos con una corriente de costismo autoritario paralela al costismo liberal que llega hasta nuestros días. Una figura del costismo autoritario es Primo de Rivera, que intentó encarnar el «cirujano de hierro», declarándose discípulo de Costa. En uno de sus discursos el dictador afirmó:

> Yo digo que el programa trazado por ese hombre está ya cumplido y ampliado... Uno de los conceptos que demuestra bien claramente la realidad de la visión de Costa es aquel de que hay que sacrificar la perfección a la prontitud (10).
> Esto lo ha hecho el Gobierno... Pero Costa desde que la Dictadura coincidió con él ha pasado

_____

(10) Citado en DIONISIO PÉREZ, *La dictadura a través de sus notas oficiosas* (Madrid, 1930), pág. 284.

a ser para los vanguardistas un valor de segunda fila (11).

Dionisio Pérez publicó en 1930 el libro *El enigma de Costa: ¿revolucionario, oligarca?* (12), donde pretendía demostrar que Costa es un oligarca reaccionario y autoritario. Esto lo hace mediante una arbitraria y tendenciosa selección de citas que toma en su gran mayoría de sus primeros escritos.

Este Costa autoritario fue también aceptado por falangistas y jonsistas. Es simbólico que en el segundo número de *La Conquista del Estado* apareciera un artículo de Giménez Caballero con el título «Dos profetas: Joaquín Costa y Orsini» (13), reivindicando su totalitarismo, si bien este mismo autor en *Genio de España* cree en la realidad de dos Costas diferentes.

> ¿Qué demonios encerraría la figura de Joaquín Costa para que Primo de Rivera le hiciera un homenaje, y la República—después—otro homenaje? Pues eso: demonios; disparidades; desarmonías; canteras para labrar todas la estatuas posibles. Encerraba un «cirujano de hierro» y una «democracia republicana» (14).

Esta dualidad, con predominio del autoritarismo, ha sido sostenida también por Legaz Lacambra, que le considera un representante del catolicismo social, al

---

(11) *Ibíd.*, pág. 257.
(12) DIONISIO PÉREZ, *El enigma de Costa: ¿revolucionario, oligarca?* (Madrid, 1930).
(13) ERNESTO GIMÉNEZ CABALLERO, "Dos profetas: Joaquín Costa y Alfredo Orsini", en *La conquista del Estado*, II (21-III-1931), 2.
(14) E. GIMÉNEZ CABALLERO, *Genio de España* (Barcelona, 1939), página 83. .

menos en espíritu «a pesar de sus errores filosóficos y de sus actividades políticas» (15».

Dentro de esta dirección el libro más importante, es *Costa y el regeneracionismo*, de Tierno Galván, donde se le presenta como un hombre perplejo y contradictorio. Hay en realidad, para Tierno, dos Costas: uno liberal y republicano, y otro, el «auténtico», autoritario y partidario de la dictadura, que sería un prefacista. Opiniones parecidas sustenta Martín Retortillo en su reciente biografía (16).

Otra dirección—la más corriente—que encuadra la tesis del «cirujano de hierro» en su doctrina política general, le considera básicamente liberal. De las acusaciones de autoritario le defendieron, entre muchos otros, Altamira (17) y Manuel Azaña (18); este último dedicó interesantes páginas a *Oligarquía y caciquismo*, estudio al que da una interpretación diferente aplicándole criterios de lucha de clases. Libro importante en esta dirección es *Joaquín Costa: precedente doctrinal de la segunda república española*, de J. Méndez Calzada, donde se defiende la realización de su programa en aquel período (19).

En verdad es curiosa la suerte de Costa. Se trata de una de las pocas figuras políticas modernas que reivindican para sí las «Dos Españas». Es uno de los pocos intelectuales de la época que se salvan en libros como

---

(15) Luis Lagaz Lacambra, "El pensamiento social de Joaquín Costa", en *Revista Internacional de Sociología*, XVIII (1947), 335.
(16) C. Martín Retortillo, *Joaquín Costa* (Barcelona, 1961).
(17) Rafael Altamira y Crevea, "Joaquín Costa", en *Obras completas* (Madrid, 1928), IX.
(18) Manuel Azaña, *Plumas y palabras* (Madrid, 1930).
(19) J. Méndez Calzada, *Joaquín Costa: Precedente doctrinario de la segunda República española* (Buenos Aires, 1944).

El 98 de los que fueron a la guerra, de S. Galindo Herrero, y ocupa al mismo tiempo un lugar central en la visión tan distinta de la España moderna que da Ramos Oliveira (20).

Ya en capítulos anteriores hemos dado algunas de las razones que pueden explicar esta curiosa paradoja, razones que en el capítulo siguiente intentaremos completar. Pero aparte de problemas teóricos, se debe considerar como una importante causa de estas dudas y discusiones el hecho de que Costa es muy poco leído, especialmente en España (21). La mayor parte de los que escriben sobre él lo hacen conociéndolo sólo a través de sus últimos libros y desconociendo sus trabajos anteriores, donde muchas veces está la clave de sus supuestas contradicciones. Se impondría una edición de sus obras completas, hoy tan difícilmente accesibles.

---

(20) A. RAMOS OLIVEIRA, *Politics, Economics and Men of Modern Spain* (Londres, 1946).

(21) La falta de interés por Costa en España contrasta con la reedición de varias de sus obras en la Argentina y la reciente creación de un círculo costista en Caracas.

XI

Situación de Costa en el panorama intelectual y social del XIX; conclusiones

La falta de un número de suficientes estudios sobre la historia política e intelectual del siglo XIX—una de las épocas peor conocidas de la historia de España—hace que resulte difícil situar en ella el pensamiento de Costa y llegar sobre él a unas conclusiones que ofrezcan un mínimo de garantías. Por ello nos limitaremos a formular algunas hipótesis provisionales.

En primer lugar creemos que la rutina de clasificar la ideología política de ese siglo en las categorías rígidas de liberalismo y absolutismo no contribuyen sino a hacer los problemas más difíciles. Toda la obra de Costa es un contínuo ataque a este género de fáciles encasillamientos, de los que él mismo fue y sigue siendo víctima. A lo largo de todo el siglo XIX encontramos que frente a una serie de problemas concretos se establecen dos bandos que no son liberales y absolutistas, o liberales y conservadores, sino un grupo formado por liberales y absolutistas frente a otro grupo formado por diferente tipo de liberales y absolutistas. Así, por ejemplo, en torno a la polémica sobre la descentralización y el regionalismo, vemos que a su favor están, por un lado, tradicionalistas, regionalistas, krausistas y federalistas; y por otro, liberales o absolutistas, partidarios acérrimos del centralismo. En el problema de la defensa de los patrimonios colectivos municipales, la delimitación de campos es semejante; otro tanto ocurre en la disputa sobre el valor de la costumbre defendido por tradicionalistas, krausistas e historicistas, entre otros, frente a un partido legalista formado por los liberales y conservadores gubernamentales. Se podría seguir poniendo ejemplos indefinidamente. Costa recoge y comenta un gran número de casos parecidos. La clásica división liberal-antiliberal convendría que fuera completada por otra que recogiera una versión más matizada de la realidad.

Creemos que a lo largo del siglo XIX hay dos corrientes ideológico-políticas: una de ellas se caracteriza por un fuerte centralismo con primacía del Estado frente a la sociedad; en general tiende al formalismo y, en el ámbito de lo jurídico, defiende la ley sobre la costumbre y la unificación legislativa sobre los derechos forales; su actitud se caracteriza por un racionalismo apriorista. Nos encontramos, por otro lado, con una dirección partidaria de la descentralización, del reconocimiento del valor de la sociedad y, en general, de la disminución de la importancia del Estado; defiende la primacía de la costumbre sobre la ley y el antiformalismo, así como la ampliación del ámbito de lo político y la aceptación de algún tipo de tradición. Dentro de cada una de estas corrientes hay sectores liberales, conservadores y absolutistas, en mayor o menor grado, de forma que si bien algunas actitudes son compartidas por los liberales de las dos corrientes, al enfocar problemas sustanciales y concretos, generalmente están más cerca un liberal y un conservador de una de las dos direcciones que un liberal y otro liberal de la opuesta. La clasificación de una ideología política en base a la mera cantidad de libertad formal que concede resulta a todas luces insuficiente y deberá ser siempre complementada por otra coordenada que evalúe el aspecto cualitativo y de contenido de esa misma ideología.

De ello fue Costa consciente y por eso siempre habló de las contradicciones que estos conflictos creaban. Basta recordar la defensa de la libertad civil que hizo en el Congreso de Jurisconsultos Aragoneses con el apoyo de los tradicionalistas y los ataques de los liberales en el poder; mientras que al pretender defender la libertad política aragonesa se encontró frente a los tradicionalistas y aliado con los liberales gubernamentales. Esta situación se reitera innumerables veces, tanto al tratar de problemas concretos como la descentralización o el valor de la costumbre, como al buscar los fundamentos teóricos del Estado o del Derecho. Por ello, Costa adoptó el punto de vista krausista de considerar los partidos turnantes de la Restauración como simples facciones de un común doctrinarismo. Esta definición, a pesar de ser algo imprecisa, era y sigue siendo en general válida.

El doctrinarismo fue la filosofía política oficial del gobierno moderado y de la Restauración. Al margen de él se desarrollaron una serie de movimientos entre los

que encontramos el federalismo, los diversos regiona-
lismos, algunos sectores republicanos, el tradicionalismo y los partidos obreros. Doctrinas como el krausismo o la escuela histórica dieron base filosófica a varios
de ellos. Estos partidos antidoctrinarios estaban separa-
dos por profundas divergencias, pero tenían posiciones
similares ante muchos problemas y, sobre todo, una
base común: eran en general partidos optimistas, con
auténtica fe en el pueblo español, y aspiraban a representar un amplio sector de la sociedad: unos a la burguesía y otros a las clases obreras y campesinas. La
sociedad española les prestó un apoyo intermitente seguido de largos períodos de apatía en los que permitió
gobernar a los doctrinarios, quienes lo hicieron con una
visión pesimista del pueblo y preocupados únicamente
en conservar el *status quo* económico-social. La base en
la que se apoyaban la analizó Costa de manera inmejorable y la definición en términos de oligarquía y caciquismo (1).

Naturalmente, no se pueden tomar las anteriores hi-

---

(1) Estas diferencias de matices se pueden trazar desde el principio del siglo. Durante el absolutismo fernandino encontramos obras
tan diferentes como las del padre Francisco de Alvarado, "el filósofo
rancio", defensoras de un reformismo que restableciera las antiguas
Cortes y los fueros, o el mismo *Manifiesto de los persas*, como ha
observado Francisco Suárez en *La crisis política del antiguo régimen
en España* (Madrid, 1950, caps. I-III), y trabajos defensores de un
absolutismo a ultranza, el llamado "despotismo ministerial", tales
como *Preservativo contra la irreligión* y *Apología del altar y el trono*,
del padre Rafael Vélez (véase R. Fernández Carvajal, "El pensamiento español en el siglo XIX", en *Historia general de las literaturas hispánicas*, dirigida por G. Díaz Plaja, Barcelona, 1950, V,
355-359). La reacción contra el formalismo liberal se inicia en las
protestas contra la desamortización en Cádiz; posteriormente, la necesidad de dar al liberalismo un aspecto social fue defendida por
Andrés Borrego a través del periódico *El Correo Nacional* (Fernández
Carvajal, *op. cit.*, V, 199).

pótesis de forma demasiado rígida. Entre las coordenadas liberalismo-antiliberalismo y doctrinarismo-antidoctrinarismo, hay un gran número de matices y los límites son siempre difíciles de trazar. Las coordenadas que como hipótesis de trabajo aceptamos tienen como principal ventaja el llamar la atención sobre la insuficiencia de las etiquetas unilaterales. Las discusiones sobre la filiación política de Costa tienen principalmente su origen en el intento de clasificarle conforme a un rígido dualismo, que condujo a considerar contradictorias las semejanzas de su pensamiento con el de otros sectores antidoctrinarios (2).

Sería también útil situar su actitud política en la estructura de la sociedad española. Dedicó Costa grandes esfuerzos a intentar movilizar las «clases neutras», es decir, a la burguesía y pequeños propietarios. Pretendió convertirse en portavoz y dirigente de unos grupos que conviene delimitar: en primer lugar hay que diferenciar a la burguesía de otros tipos de clases medias; el concepto de burguesía debe restringirse a las agrupaciones mercantiles, industriales y profesionales que fueron las que llevaron a cabo en Europa la implantación del sistema liberal. En España, estas «fuerzas vivas» prácticamente no existían fuera de algunas ciudades del litoral y su debilidad explica las dificultades que tuvo la consolidación de la democracia al no ser la expresión de una base social amplia. El liberalismo tuvo más el carácter de una secta intelectual y utópica que de un partido de masas; de ahí su tendencia a

_____

(2) Por las mismas razones, TIERNO GALVÁN ha señalado las semejanzas entre krausismo y tradicionalismo. *Costa y el regeneracionismo* (Barcelona, 1961), pág. 179.

ocuparse de problemas puramente académicos y su divorcio de la realidad nacional (3). Aparte de estos grupos existían las clases medias burocráticas, sin independencia económica y defensoras del *status quo*. Los pequeños propietarios rurales eran pobres, carecían de fuerza política y habían sufrido duramente por la política del gobierno. Estaban bastante localizados geográficamente en algunas comarcas del Norte y Levante; a ellos pertenecía Costa, que pretendió convertirse en su portavoz. A pesar de su debilidad, la burguesía intentó varias veces dirigir la vida nacional, como veremos en las breves referencias que vamos a dedicar a alguno de estos intentos.

Un período del XIX que tiene grandes paralelos con la Restauración es el gobierno de los moderados, con sus asociados de la Unión Liberal. Este gobierno se mantiene, con interrupciones, desde 1843 a 1868; su base social era la oligarquía, tanto de los antiguos propietarios como de los nuevos ricos que habían hecho su fortuna con la desamortización. Intentaron los moderados un camino intermedio entre el extremo demócrata-progresista y el carlismo; para ello llegaron a un acuerdo con la Iglesia (Concordato de 1851), al mismo tiempo que garantizaron la seguridad del orden social existente amenazado por el campesinado despojado (creación de la Guardia Civil, 1844). El sistema político que estructuraron se basaba en una constitución fuertemente centralista (1845), que fortaleció la puesta en vigor del sistema provincial creado en 1833 como instrumento contra el carlismo. Bajo ella «al país se le mantuvo ale-

---

(3) A. RAMOS OLIVERA, *Politics, Economics and Men of Modern Spain* (Londres, 1946), caps. II y V.

jado de la vida política. Se cuidaban de hacerle presente los «caciques», curiosos intermediarios entre el pueblo y el Estado, surgidos al calor de la atonía nacional» (4).

Este régimen fue interrumpido en 1856 por la Vicalvarada: «Como en mayo de 1808 o en noviembre de 1842, el pueblo se echó a la calle, con la diferencia de que esta vez no luchaba por vagos ideales liberales, sino por concretas medidas democráticas y obreristas» (5). En este movimiento tuvieron ya notable importancia los federalistas de Pi y Margall. El descontento que los movía era grande y había ya dado lugar, entre otros disturbios, a los incidentes *dels matiners* en Cataluña (1846-1848), en los que «cooperaron en la lucha carlistas, progresistas y demócratas, muchas veces aliados en el campo de batalla. Esto demuestra el carácter preferentemente social del conflicto. Y también ideológico, puesto que lo que más repugnaba a los *matiners* eran las medidas centralizadoras decretadas por Madrid» (6). Contra los doctrinarios se agitaban el federalismo y el regionalismo romántico, el carlismo, los movimientos obreros y el naciente krausismo. Sin embargo, la fuerza de los moderados fue suficientemente grande para reimponer su sistema, aunque la absoluta incapacidad del régimen para resolver los problemas nacionales condujo finalmente a su caída a manos de los demócratas y progresistas, representantes de la burguesía.

---

(4) J. Vicéns Vives, *Historia social y económica de España y América* (Barcelona, 1959), V, 358.
(5) *Ibíd.*, pág. 360.
(6) *Ibíd.*, pág. 366.

Es evidente que los hombres de la Revolución de Septiembre intentaron llevar a cabo la experiencia democrática de España. Contrariamente a los liberales doctrinarios de la época isabelina, quisieron ser absolutamente radicales en sus principios: sufragio universal, imprescribilidad de los derechos del ciudadano, separación de la Iglesia y del Estado, amplia libertad de cultos. Por esta causa Sánchez Agesta les denomina liberales radicales. Más apropiado a la realidad sería decir que los liberales del 68 creyeron en el pueblo español y que le otorgaron un amplio crédito de confianza. Esta es la diferencia que separa el antiguo progresismo del liberalismo democrático de nuevo cuño. Su confianza en las virtudes taumatúrgicas del sufragio universal y el sistema democrático quedó defraudada, porque el pueblo anhelaba un cambio de estructura y se mostró reacio a seguir la senda de la pura ideología constitucional. Ante los hechos sociales que estallaron en el país, los hombres del 68 se mostraron absolutamente incapaces de comprenderlos. Su inefable intelectualismo abrió cauce a la anarquía (7).

El moderatismo doctrinario cayó ante el empuje de la burguesía de la periferia peninsular. Sin embargo, esa burguesía era demasiado débil para imponer su propia revolución. El cantonalismo, «reverso de la misma medalla en cuyo anverso campeaba el carlismo» (8) derivó hacia una revolución social con tintes anarquistas que no dejó tiempo para llevar a cabo el programa social de los republicanos, que proclamaba la reimplantación de la propiedad colectiva municipal y con ella

---

(7) *Ibíd.*, págs. 373-374.
(8) *Ibíd.*, pág. 375.

la anulación de la obra de la desamortización civil (9).

Al final de la primera república, una gran parte de la burguesía progresista, horrorizada por la anarquía, estaba dispuesta a devolver el poder a los moderados y a no volver a embarcarse en ninguna aventura política. El camino estaba libre para la oligarquía: era la Restauración. El nuevo régimen continuó el moderatismo en casi todos sus aspectos: la constitución de 1876 reprodujo a veces literalmente la de 1845, si bien con mayor matiz liberal. La práctica siguió siendo la misma: un riguroso sistema de oligarquía y caciquismo con unos métodos de corrupción aún más perfeccionados. La desconfianza en el pueblo español, naturalmente, había aumentado.

Políticamente quedaban fuera de la Restauración los republicanos de Ruiz Zorrilla y Salmerón, los federales de Pi y Margall, los carlistas y los movimientos obreros, escindidos entre bakuninistas y marxistas. En este período las clases medias, eliminadas como casi todo el resto del país de la política oficial, desinteresadas de los negocios públicos, se dedicaron a preocuparse únicamente de sus problemas particulares y a resolver lo mejor posible sus dificultades inmediatas. Intelectualmente, al margen del liberalismo doctrinario oficial, entre otros movimientos florecían el historicismo y el krausismo.

La burguesía, a pesar de su profesión de apoliticismo, no tardó demasiado en mostrar síntomas de un descontento originado principalmente en los choques de intereses dentro de la misma estructura del régimen.

------

(9) *Ibíd.*, pág. 110.

Los industriales eran, en general, proteccionistas en tarifas aduaneras y conservadores en política. El proteccionismo era también aceptado por los grandes cultivadores de cereales y olivares, columna dorsal del latifundismo. Los comerciantes eran librecambistas en tarifas y progresistas en política, y estaban apoyados por los pequeños propietarios, cultivadores de viñas u otros productos, interesados en la exportación de vinos, principalmente al mercado francés. Destronada Isabel II en 1868, se habían aprobado en 1869 unos aranceles librecambistas, pero el cambio de régimen redujo su ámbito gradualmente en 1875, 1876 y 1877. Estas medidas, además de herir seriamente al comercio y a los viticultores, crearon importantes dificultades a ciertos sectores industriales, tales como los algodoneros y laneros catalanes. El gobierno de Sagasta inició de nuevo una liberalización que se materializó en el tratado hispano-francés de 1882, pero ya en 1891 se había tornado a un proteccionismo que superaba al de los aranceles de 1877: el mercado francés estaba perdido y amplias zonas agrícolas quedaron al borde de la ruina. El gobierno, al mismo tiempo, tomaba otra serie de medidas que dañarían fuertemente los intereses mercantiles. Todo ello produjo un serio malestar que llevó a la politización de una gran parte de la burguesía. El Círculo de la Unión Mercantil de Madrid inició una serie de protestas que llegarían a culminar en manifestaciones populares y luego en la realización de una actividad coordinada de ámbito nacional. Por primera vez desde el fallido intento de la monarquía de Amadeo y de la primera república, iba la burguesía española a iniciar una política independiente e iba a tratar de tomar la dirección de la sociedad. Las «clases neutras», cuya pasividad había atacado Costa machaconamente, parecían despertar. El mismo dirigió parte de este movimiento en forma que ya referimos en un capítulo precedente. En la Cámara Agrícola del Alto Aragón—órgano que representaba principalmente a los pequeños propietarios—tuvo la valiosa colaboración de Salamero (10). El programa electoral de Costa pedía, en su artículo 3, la reapertura de mercados agrícolas, especialmente el francés para los vinos, y en su artículo 12, una atención intensa y sostenida a los intereses mercantiles. No repetiremos los diversos pasos de este proceso ni su declive y final fracaso, pero sí queremos llamar la atención sobre el hecho de haberse convertido Costa en esta época en uno de los dirigentes de un movimiento de carácter nacional que, basado en los pequeños propietarios, en las clases mercantiles y en algunos sectores industriales, constituyó un serio intento de la burguesía reformista de volver a tomar la dirección de la nación.

De hecho y a pesar del fracaso de la Unión Nacional, este movimiento minó los cimientos del gobierno de la Restauración y le obligó a una profunda modificación de su política.

Fue una grande ocasión perdida, sacrificada ante las exigencias de la política de los partidos turnantes. Sin embargo, su influjo señaló, sin duda, los intentos renovadores de Antonio Maura y de José Canalejas, los dos últimos estadistas de la Restauración.

---

(10) La actitud social de Salamero, sobre la que no conocemos ningún estudio, representó una posición avanzada y moderna que superaba en interés a la más conocida del P. Vicent.

En el terreno de las realidades prácticas, el intento regenaracionista se vincula a la política del gobierno de la Unión Conservadora... Muerto Cánovas, Francisco Silvela recogió las huestes del antiguo partido Liberal Conservador y las fusionó con las que había creado en poco tiempo el general Polavieja. Este, de acuerdo con la alta burguesía catalana, había lanzado un manifiesto reclamando la extirpación de los caciques, la descentralización del Estado y el desarrollo de una política mercantil... Naufragaron sus propósitos en la habitual torpeza de halagar al caciquismo, en su insensibilidad para acoger los latidos del país real. Este descontento dio vida al radicalismo español contemporáneo (11).

El papel que tuvieron los disturbios campesinos y obreros en la primera república, encontró su paralelo en la semana trágica de Barcelona; la burguesía se horrorizó ante la perspectiva de una revolución social: «La burguesía, amilanada al principio, recobró poco a poco alientos; pero no olvidó la experiencia de 1909. Los buenos propósitos democráticos de 1901 fueron desvaneciéndose y se empezó a suspirar por una política de mano de hierro y orden público a toda costa» (12). El camino para la dictadura estaba abierto (13).

Se ha solido considerar al regeneracionismo como un movimiento meramente intelectual y en todo caso como nacido del desastre del 98. Sin negar la importancia que

---

(11) VICÉNS, *Historia...*, V, 394.
(12) *Ibíd.*, pág. 398.
(13) Este mismo conflicto entre burquesía liberal y partidos obreros se produjo en la segunda República, con igual reacción en muchos sectores de la burguesía, que volvieron a desear orden público a toda costa. Esa repetición de situaciones es la probable causa de las recientes revalorizaciones de la Restauración.

los intelectuales tuvieron en él, sin duda fueron los movimientos de las fuerzas sociales los que lo llevaron al primer plano de la escena nacional al convertirlo en el programa político de las «clases neutras». No conocemos un estudio histórico de este proceso, como tampoco de los supuestos sociales de la generación del 98 o del posible efecto que el descontento general de la burguesía pudo tener en la desviación esteticista de alguno de sus miembros. La falta de una investigación suficiente nos impide determinar hasta qué punto esta corriente burguesa compartía las preocupaciones de Costa sobre el arreglo de la cuestión social agraria mediante la resurección de antiguas instituciones colectivistas, si bien parece apoyar esta posibilidad, aunque en tono menor, la inclusión en los programas sucesivos de las Cámaras y Uniones la petición de una suspensión inmediata de la venta de los patrimonios colectivos municipales. De lo que no cabe duda es de que Costa preconizaba una revolución «desde arriba», es decir, una revolución hecha por las clases medias que se adelantara a una revolución proletaria, haciéndola innecesaria. Si las clases neutras hubieran compartido con él la consciencia de la inmediata necesidad de llevarla a cabo, acaso la tragedia posterior de España se hubiera evitado.

Para terminar vamos a resumir las conclusiones provisionales de este trabajo en la siguiente forma:

1) La ideología de Costa tiene una base krausista en la que integró una profunda influencia de la escuela histórica, que le dio un matiz fuertemente nacional. No es una ideología rígida, ya que estuvo siempre abierta a las últimas novedades intelectuales.

2) Fue Costa un gran investigador de la tradición intelectual española, en la que siempre buscó raíces a las nuevas ideas. Investigó también esa realidad en busca de respuestas a problemas concretos presentes, políticos y económicos.

3) Incansablemente estudió de primera mano múltiples instituciones consuetudinarias jurídicas y sociales, así como la poesía popular, el folklore, el lenguaje y otros diversos aspectos de la realidad social de España. Promovió y estimuló este tipo de trabajos al mismo tiempo que combatía a los que pretendían dar soluciones librescas a los problemas de la patria sin conocerla directamente.

4) Su actividad política y social fue dirigida en una gran parte a combatir el doctrinarismo en el que englobaba a todos los partidos que colaboraron en la Restauración, indiferentemente de sus matices. El confundir sus ataques contra el liberalismo doctrinario, con ataques contra todo tipo de liberalismo, ha sido la principal causa de que se le haya considerado, a veces, antiliberal.

5) En su información sobre *Oligarquía y caciquismo* analizó de forma sistemática las estructuras sociales sobre las que se basaba la Restauración y contribuyó decisivamente a mostrar su vacuidad y a hacer consciente de ello al público en general y a la intelectualidad en particular. Esta información, que ejerció gran influencia, dio un nuevo matiz a los posteriores trabajos sobre el problema de España.

6) Fue perfectamente consciente de que cualquier actividad política debería también resolver el problema social. Se enfrentó con el aspecto agrario de este pro-

blema y pretendió solucionarlo mediante el restablecimiento y fomento de fórmulas colectivistas tradicionales destruidas por la desamortización.

7) Su programa político llevó a primer plano la escuela y la despensa. Un imperativo cultural de extender la educación primaria y de mejorar la educación superior, abriéndola a Europa, pero basándola al mismo tiempo en la tradición nacional; un imperativo de mejora económica sin el cual toda transformación carecería de base firme.

8) Su actuación política intentó basarse en la burguesía y pequeños propietarios. Estas fuerzas deberían llevar a cabo una revolución desde arriba: impulsar un cambio serio de las estructuras sociales, políticas y económicas del país o, cuando menos, aplicar las medidas de urgencia que pedían los regeneracionistas.

9) La ideología de Costa era básicamente liberal, si bien de un liberalismo profundamente diferente del doctrinario al uso. Un neoliberalismo basado en un renacimiento de la vieja democracia municipal y regional española y, al mismo tiempo, en una adaptación de las corrientes ideológicas y políticas del mundo occidental, eligiendo aquéllas que, huyendo del extremismo, pudieran llegar a ser aceptadas por extensos sectores de la sociedad. (Como siempre en Costa «apertura a Europa y chapuzamiento en pueblo».) Hay, sin embargo, en su programa aspectos peligrosos tales como el llamamiento mesiánico a un cirujano de hierro.

10) En sus intentos políticos fracasó, pero su fracaso fue relativo. Los partidos turnantes tuvieron que aceptar varias de sus directrices y algunos de los artículos de su programa se han convertido en parte

obligada de todos los gobiernos posteriores: por ejemplo, la política hidráulica, a partir del plan Gasset (1902).

11) La influencia de Costa fue decisiva en la vida intelectual española. Lo fue en la primera época de la generación del 98 y continuó después, si bien posteriormente fue más bien ambiental e indirecta.

El estudio de la ideología de Costa y de su influencia es básico para comprender la historia política e intelectual de la España moderna y quizá valioso para la construcción de la futura España. En este trabajo no hemos pretendido sino llamar la atención sobre algunos de los aspectos de esta ideología que sigue ofreciendo un rico campo de investigación.

BIBLIOGRAFIA

El primer problema con el que se enfrenta la persona que quiere estudiar a Costa es la difícil accesibilidad de su obra. Costa escribió en su prolífica vida un impresionante volumen de material, del que solo una pequeña parte recogió en libros; la mayor parte se encuentra en revistas y periódicos. Dado el carácter poligráfico de sus investigaciones, estas aparecieron en revistas del más diverso género. Su interés por la política y los problemas sociales le llevó a colaborar en multitud de periódicos, muchos de ellos locales. Ni durante su vida ni posteriormente se ha recogido una gran parte de este material y de él no poseemos ni siquiera un ensayo de catalogación.

La mejor fuente de su obra sigue siendo la "Biblioteca Costa", publicada después de su muerte por su hermano. En ella se reeditaron algunos de sus libros y se reunió una serie de trabajos sueltos en unos volúmenes cuyos títulos resultan muchas veces desorientadores. Los materiales recogidos carecen frecuentemente de indicación de fecha o fuente y se mezclan a veces con artículos de otros autores sobre temas más o menos relacionados con el asunto del libro. Se trata, pues, de una colección carente del más mínimo rigor científico y hay, por ello, que manejarla con cierto cuidado.

Las bibliografías que se han publicado de Costa se han limitado en general a reproducir una lista parcial de volúmenes de la "Biblioteca Costa". La más completa es la publicada en el *Manual del librero hispanoamericano*, de Paláu, de la cual hemos recogido en la nuestra todos los títulos,

233

incluso alguno tan dudoso como *Alma portuguesa*. La confección de una bibliografía completa representa un trabajo superior a nuestras fuerzas, y nos hemos limitado a una recopilación parcial, cuyo único mérito puede ser el aumentar en varias veces la extensión de las existentes.

Reproducimos también la única relación publicada de su obra inédita. Los títulos que incluye corresponden a veces a obras ya aparecidas, pero al haberse perdido gran parte de este material y ante la imposibilidad de comprobar su exactitud hemos preferido copiarla sin modificaciones. Iguales dificultades hemos tenido en catalogar algunos de los estudios existentes sobre Costa. Sin embargo, presentamos estas compilaciones conscientes de sus defectos, en la esperanza de que puedan representar un paso adelante para trabajos posteriores que las superen.

Paláu nos ofrece en su *Manual* la siguiente lista de esta "Biblioteca Costa", de la cual se publicaron dos series, una en Huesca y otra en Madrid:

COSTA, Joaquín, *Obras completas*. Huesca, Imp. L. Pérez, Edt. V. Campo, 1911-1924. 21 vols. 8.º, "Biblioteca Costa".

I y II	*La fórmula de la agricultura española.*
III	*La vida del derecho.*
IV	*Teoría del hecho jurídico individual y social.*
V	*Colectivismo agrario en España: doctrina y hechos.*
VI	*Reconstitución y europeización de España.*
VII	*Reorganización del notariado, del registro de la propiedad y de la administración de justicia.*
VIII	*Agricultura armónica.*
IX	*Política hidráulica: misión social de los riegos en España.*
X	*La tierra y la cuestión social.*
XI	*Marina española o la cuestión de la escuadra.*
XII	*Los siete criterios de gobierno.*
XIII	*Política quirúrgica.*
XIV	*Crisis política de España (doble llave al sepulcro del Cid).*
XV	*El problema de la ignorancia del derecho.*
XVI	*Maestro, escuela y patria. Notas pedagógicas.*
XVII	*Tutela de pueblos en la Historia. Isabel de Castilla, el Cid Campeador, etc.*

XVIII   *La religión de los celtíberos y su organización política y civil.*

XIX   *Ultimo día del paganismo y... primero de lo mismo.*

XX   *Instituciones económicas para obreros: las habitaciones de alquiler barato en la Exposición Universal de París en 1867.*

XXI   *Los ayuntamientos y las alineaciones de las calles.*
Imprenta Fortanet, edit. Biblioteca Costa. Madrid (mismas fechas y formato que las ediciones de Huesca).

I   *Teoría del hecho jurídico individual y social.*

II   *La libertad civil y el Congreso de Jurisconsultos Aragoneses.*

III   *Estudios jurídicos y políticos.*

IV   *Reorganización del notariado.*

V   *Reforma de la fe pública.*

VI   *El juicio pericial... y su procedimiento.*

VII   *Los fideicomisos de confianza.*

VIII   *La poesía popular española y mitológica celto-hispánica.*

IX   *Estudios ibéricos.*

X   *Colectivismo agrario en España (doctrinas y hechos).*

XI   *Reconstitución y europeización de España.*

XII   *Oligarquía y caciquismo como la forma actual de gobierno.*

XIII   *Crisis política de España.*

XIV   *El problema de la ignorancia del derecho.*

XV   *Derecho consuetudinario del Alto Aragón.*

XVI   *Derecho consuetudinario de España.*

XVII   *Primera campaña de la Cámara Agrícola del Alto Aragón.*

XVIII y XIX   *La fórmula de la agricultura española.*

XX   *Agricultura armónica, expectante y popular.*

XXI   *Política hidráulica.*

XXII   *El arbolado y la patria.*

XXIII   *La tierra y la cuestión social.*

XXIV   *Marina mercante y marina de guerra.*

XXV   *La vida del derecho.*

OBRAS DE COSTA

(Abreviaturas: *B. I. L. E.*, Boletín de la Institución Libre de Enseñanza; *R. G. L. J.*, Revista General de Legislación y Jurisprudencia.)

Discurso leído en el acto de inauguración del Ateneo Oscense. Huesca, 1866.

Ideas apuntadas en la Exposición Universal de 1867. Huesca, 1868.

"La política antigua y la política nueva", en *Revista Europea,* V, 100 (23. I. 1876), 460-471; V, 101 (30. I. 1876), 502-509.

"El suelo de la patria y la redención del agricultor", en *Revista Europea,* VI, 111 (9. IV. 1876), 201-209.

"La minuta de un testamento de W.", en *Revista Europea,* VI, 139 (22. X. 1876), 532-538; VI, 140 (29. X. 1876); 563-572.

La vida del derecho. Madrid, 1876. Segunda ed., Madrid, 1914, con prólogo de Gumersindo de Azcárate. Publicado también, con ligeras variantes, bajo el título:

El derecho en la letra y en la vida. Estudio del derecho consuetudinario. La vida del derecho, teorías de hechos jurídicos. Madrid, 1876.

"La religión de los celtas españoles", en *B. I. L. E.* (Madrid, 1877), 9 y 17.

"Otro viajero español en Africa (Joaquín Gatell)", en *B. I. L. E.* (Madrid, 1877), 33.

Cuestiones celtíberas: religión. Huesca, 1877. Publicado en forma ampliada como: *La religión de los celtíberos y su organización política y social.* Madrd, 1917.

Derecho consuetudinario del Alto Aragón. Madrid, 1877-1880.

"Los dialectos de transición en general y los celtibérico-latinos en particular", en *B. I. L. E.* (1878), 81, 114, 131, 150, 159.

"Las juglaresas gaditanas en el Imperio Romano", en *B. I. L. E.* (1878), 17.

"La fermentación como medio de mejorar y conservar el forraje verde", en *B. I. L. E.* (1878), 113.

"Representación política del Cid en la epopeya española", en *B. I. L. E.* (1878), 155, 163.

"La España primitiva según el P. Pita", en *Revista Europea,* 292 (28. IX. 1879), 406-415.

"Los dialectos de transición", en *B. I. L. E.* (1879), 2, 18, 33, 41, 58, 67, 89, 99, 106, 113, 129, 149, 156, 162, 186.

Organización política, civil y religiosa de los celtíberos. Madrid, 1879.

"Los nombres del derecho", en *B. I. L. E.*, 78 (16. I. 1880), 65-68.

"Los informes de los alumnos", en *B. I. L. E.*, 70 (17. I. 1880), 6 y 7.

"Si debe limitarse el cultivo de cereales en España", en *B. I. L. E.*, 84 (16. VIII. 1880), 113-114; 85 (31. VIII. 1880); 122-125; 86 (16. IX. 1880), 145-147.

"Un pasaje del Digesto", en *B. I. L. E.*, 85 (31. VIII. 1880), 121-122.

Derecho consuetudinario del Alto Aragón. Madrid, 1880.

"Notas", en el vol. 3 de E. Ahrens, *Enciclopedia Jurídica,* Madrid, 1880. Segunda ed., F. Giner de los Ríos y G. de Azcárate, *Notas a la Enciclopedia Jurídica de Ahrens,* Madrid, 1965. págs. 367-378.

Estudios jurídicos y políticos. Madrid, 1880. Segunda ed., Madrid, 1884.

Teoría del hecho jurídico individual y social. Madrid, 1880. Segunda ed., Madrid, 1914. Tercera ed., Buenos Aires, 1947.

"Poesía didáctica y religiosa de los celtíberos", en *Revista de España,* 298 (1880), 209-235; 301 (1880), 62-89.

"Mitología bético-lusitana", en *Revista de España,* 303 (1880), 362-384; 304 (1880), 473-495.

"Poesía religiosa en España durante la edad antigua", en *Revista de España,* 307 (1880), 307-326; 309 (1881), 81-93; 310 (1881), 238-252.

"Poesía heroica en España durante la edad antigua", en *Revista de España,* 311 (1881), 392-404; 312 (1881), 498-515.

"La poesía lírica y dramática en España durante la edad antigua", en *Revista de España,* 313 (1881), 88-105.

"Poesía dramática hispano-latina y forma de la poesía celto-hispana", en *Revista de España,* 314 (1881), 229-246; 315 (1881), 292-406; 316 (1881), 441-508.

"Arrendamientos agrícolas", en *B. I. L. E.*, 93 (4. I. 1881), 3-5.

"Importancia social de los alumbramientos de aguas", en *B. I. L. E.*, 96 (20. II. 1881), 18-20; 97 (8. III. 1881), 29-31; 98 (25. III. 1881), 35-38.

237

"Influencia de la ciencia política mudéjar en la de Castilla, en *B. I. L. E.*, 99 (9. IV. 1881), 44-46.

"Los dioses infernales de Lusitania", en *B. I. L. E.*, 100 (20. IV. 1881), 52-54; 101 (30. IV. 1881); 59-61; 106 (15. VII. 1881), 98-101.

"Ideas políticas de Quevedo", en *B. I. L. E.*, 107 (31. VII. 1881), 106-108.

"La agricultura española y la libertad de comercio", en *B. I. L. E.*, 108 (16. VIII. 1881), 116-118; 109 (6. IX. 1881), 122-124.

"Máximas políticas de Baltasar Gracián", en *B. I. L. E.*, 110 (16. IX. 1881), 129-133.

"La unidad legislativa y el discurso del Sr. Alonso Martínez", en *B. I. L. E.*, 111 (3. X. 1881), 138-143.

"Ferrocarril internacional del Esera", en *B. I. L. E.*, 114 30. XI. (1881), 194-196.

"Condiciones económicas para el cultivo de la encina", en *B. I. L. E.*, 112 (31. X. 1881), 153-154.

"Requisitos de la costumbre jurídica, según los autores", en *R. G. L. J.*, 58 (1881), 553-573; 59 (1881), 71-93.

La poesía popular española y mitología celto-hispana. Introducción a un tratado de política sacado textualmente de los refraneros, romanceros y gestas de la Península. Madrid, 1881. Segunda ed., Madrid, 1888.

"Leguminosas de secano para prados", en *B. I. L. E.*, 118 (16. I. 1882), 11-12.

"Almidón de helecho", en *B. I. L. E.*, 118 (16. I. 1882), 12.

"¿Hubo volcanes en la Luna?", en *B. I. L. E.*, 118 (16. I. 1882), 9.

"Mitología popular: una variante del mito de Polifemo", en *B. I. L. E.*, 119 (31. I. 1882), 21-22.

"Los españoles en el Uruguay", en *B. I. L. E.*, 119 (31. I. 1882), 26.

"La ganadería de los pobres", en *B. I. L. E.*, 120 (16. II. 1882), 38-39.

"El comercio de Roma en el Sáhara y el imperio de los Guramantes", en *B. I. L. E.*, 122 (16. III. 1882), 56-57; 125 (30. IV. 1882), 92-94, en colaboración con D. A. M.

"La vida fuera de la Tierra", en *B. I. L. E.*, 122 (16. III. 1882), 62.

"Condiciones económicas del cultivo del naranjo", en *B. I. L. E.*, 123 (1. IV. 1882), 71-73.

"Necrología: Carlos Roberto Darwin", en *B. I. L. E.*, 125 (30. IV. 1882), 89.

"Formación de las nieblas", en *B. I. L. E.*, 127 (31. III. 1882), 134.

"Transmisión de la fuerza motriz a grandes distancias", en *B. I. L. E.*, 128 (17. VI. 1882), 129.

"El trabajo de las lombrices de tierra según Darwin", en *B. I. L. E.*, 129 (5. VII. 1882), 140-142.

"Antiguas civilizaciones en el Sáhara", en *B. I. L. E.*, 130 (16. VII. 1882), 157-158.

"La sardina y el Gulf-Stream", en *B. I. L. E.*, 130 (16. VII. 1882), 153.

"Santa Cruz de Mar Pequeña y la Prensa española", en *B. I. L. E.*, 131 (31. VII. 1882), 168-169.

"El comercio de España con el Rif", en *B. I. L. E.*, 133 (31. VIII. 1882), 195-196.

"Economía ferroviaria: los tranvías", en *B. I. L. E.*, 134 (15. IX. 1882), 199-202.

"El comercio español y la cuestión de Africa", en *B. I. L. E.*, 134 (15. IX. 1882), 206-207; 136 (15. X. 1882), 225-227.

"Las habitaciones insalubres en Inglaterra y Francia; casas para obreros", en *B. I. L. E.*, 134 (15. IX. 1882), 202-203.

"Opinión de Vauban sobre el gobierno de los españoles en Flandes", 135 (30. IX. 1882), 214-215.

"Condiciones económicas del cultivo del almendro", en *B. I. L. E.*, 135 (30. IX. 1882), 211-214; 138 (15. XI. 1882), 247-249.

"Una hipótesis de Rhys sobre los pobladores del Cuneis", en *B. I. L. E.*, 141 (31. XII. 1882), 288.

"Intervención del Estado en la construcción de casas para obreros", en *B. I. L. E.*, 141 (31. XII. 1882), 286-287.

"Escuela de aprendizaje de oficios en El Havre", en *B. I. L. E.*, 136 (15. X. 1882), 228.

"Eficacia de la enseñanza agrícola", en *B. I. L .E.*, 136 (15. X. 1882), 229.

"Escuelas ambulantes en Portugal", en *B. I. L. E.*, 136 (15. X. 1882), 229.

"Estadística de la América Latina; los españoles en la América del Sur; la industria en Méjico", en *B. I. L. E.*, 137 (30. X. 1882), 240-242.

"República Argentina, Uruguay, Honduras, Venezuela", en

B. I. L. E., 138 (15. XI. 1882), 240-242, en colaboración con D. G. Reparaz.

"Comercio entre España y Marruecos", en *B. I. L. E.*, 138 (15. XI. 1882), 254, en colaboración con D. G. Reparaz.

"Los franceses en el Zaire y las reclamaciones de Portugal", en *B. I. L. E.*, 138 (15. XI. 1882), 252, en colaboración con D. G. Reparaz.

"Exploraciones del Sr. Bonelli en Marruecos", en *B. I. L. E.*, 138 (15. XI. 1882), 253-254.

"Nuevas aplicaciones de la electricidad a la industria agrícola y al transporte.—La fuerza de las mareas", en *B. I. L. E.*, 140 (15. XII. 1882), 242-244, en colaboración con don F. Guillman y J. R. Mourelo.

"La doctrina de la inmortalidad del alma entre los semitas", en *B. I. L. E.*, 141 (31. XII. 1882), 287-288.

"El seguro obligatorio para la agricultura", en *B. I. L. E.*, 141 (31. XII. 1882), 187.

"El ministro de Marina, ¿debe ser marino?", en *B. I. L. E.*, 141 (31. XII. 1882), 285-286.

"La libertad de testar y las legítimas", en *R. G. L. J.*, 60 (1882), 422-450.

El comercio español y la cuestión de Africa. Madrid, 1882.

"El puerto de Ifni", en *B. I. L. E.*, 143 (31. I. 1883), 26-31.

"El valor de los emigrantes", en *B. I. L. E.*, 144 (15. II. 1883), 44-47.

"La agricultura práctica en la escuela de primera enseñanza", en *B. I. L. E.*, 145 (28. II. 1883), 63-64.

"La agricultura y el municipio: el libro de D. G. de Linares", en *B. I. L. E.*, 147 (31. III. 1883), 81-86.

"Crédito agrícola: registro de la propiedad por el sistema de Australia", en *B. I. L. E.*, 148 (15. IV. 1883), 103-106.

"Filosofía política de Donoso Cortés", en *B. I. L. E.*, 149 (30. IV. 1883), 117-119.

"Poesía popular española: una forma típica de canción geográfica", en *B. I. L. E.*, 150 (15. V. 1883), 140-143.

"Seguros sobre la vida", en *B. I. L. E.*, 153 (30. IV. 1883); 181-185; 154 (15. VII. 1883), 201-205; 158 (15. IX, 1883), 298-301; 160 (15. X. 1883), 261-265; 162 (15. XI, 1883), 332-335, en colaboración con D. A. Sela y D. I. Guimerá.

"Dictados tópicos (dicterios, elogios, etc.) del Alto Aragón", en *Folklore Bético-Extremeño* (julio-septiembre 1883).

"Descentralización de las ciudades", en *B. I. L. E.*, 156 (15. VIII. 1883), 225-226.

"Apuntes para historia de la navegación aérea en la Península: aplicación del aire caliente a la aerostación; aplicación de la aerostación a las investigaciones físicas", en *B. I. L. E.*, 157 (31. VIII. 1883), 248-252.

"Las alianzas de España", en *B. I. L. E.*, 159 (30. IX. 1883), 281-283.

"Por qué subsiste en Cuba la esclavitud", en *B. I. L. E.*, 164 (15. XII. 1883), 362-364.

"Un cura ingeniero", en *B. I. L. E.*, 165 (31. XII. 1883), 375-378.

"Una ley de la Historia de España", en *B. I. L. E.*, 165 (31. XII. 1883), 380-382.

"Una forma típica de canción geográfica", en *El folklore frexenense y bético-extremeño*. Fregenal, 1883-1884.

Tranvías y ómnibus: estudio de derecho administrativo. Madrid, 1883.

La libertad civil y el Congreso de Jurisconsultos Aragoneses. Madrid, 1883.

"Naturaleza de la costumbre jurídica", en *B. I. L. E.*, 166 (15. I. 1884), 5-6.

"España en el Golfo de Guinea", en *B. I. L. E.*, 176 (15. VI. 1884), 165-168.

"Funciones de Aragón en el organismo de la nacionalidad española", en *B. I. L. E.*, 183 (30. IX. 1884), 282.

"El Derecho y la coacción en la poesía popular española", en *B. I. L. E.*, 189 (31. XII. 1884), 371-377.

"Cuestiones jurídico-económicas del Alto Aragón", en *R. G. L. J.*, 64 (1884), 244-270.

"Otra costumbre jurídico-económica de Aragón: ejercicio mancomunado de la ganadería", en *R. G. L. J.*, 65 (1884), 227-236.

"Discurso", en *Actas del Congreso Español de Geografía Colonial y Mercantil*. Madrid, 1884, I, 51-56.

"Discurso", en *Actas del Congreso Español de Geografía Colonial y Mercantil*. I, 228-252.

"Conclusiones de la ponencia, en *Actas del Congreso Español de Geografía Colonial y Mercantil*. II, 139-141.

"Comunicación", en *Actas del Congreso Español de Geografía Colonial y Mercantil*. II, 243-244.

"Dictamen sobre el estado de la Marina española y medios

de fomentarla", en *Actas del Congreso Español de Geografía Colonial y Mercantil.* II, 292-359.

"Programa político del Cid Campeador", en *B. I. L. E.*, 205 (30. VIII. 1885), 241; 206 (15. IX. 1885), 259.

Derecho municipal consuetudinario de España. Madrid, 1885.

"Plan de un tratado sobre el derecho consuetudinario", en *B. I. L. E.*, 238 (15. I. 1886), 27-30; 239 (13. II. 1886), 9-11.

"Factorías españolas en la costa occidental de Africa", en *B. I. L. E.*, 251 (31. VII. 1886), 211-213.

El conflicto hispano-alemán sobre Micronesia. Madrid, 1886.

"España sahariana", en *Revista de Geografía Comercial,* 16 (15. II. 1886), 235-236.

"Cámara de Comercio de Barcelona", en *Revista de Geografía Comercial,* 31 (31. I. 1887), 109.

"La viña en la América latina y en Argelia", en *Revista de Geografía Comercial,* 31 (31. I. 1887), 110.

"La exportación de manufacturas catalanas y el precio del trigo", en *Revista de Geografía Comercial,* 32 (28. II. 1887), 131-133.

"España y la raza hebraico-española", en *Revista de Geografía Comercial,* 32 (28. II. 1887), 143-148.

"Líneas de navegación al Africa Austral", en *Revista de Geografía Comercial,* 34 (31. III. 1887), 182-184.

"Triple alianza del Mediodía; indicaciones sobre la actitud de Portugal y Francia", en *Revista de Geografía Comercial,* 34 (31. III. 1887), 194-200.

"Una anomalía en el contrato con la Trasatlántica Española", en *Revista de Geografía Comercial,* 35 (15. IV. 1887), 228-229.

"Portugal en China", en *Revista de Geografía Comercial,* 36 (30. IV. 1887), 264-270.

"Servicio de vapores correos entre Cádiz y Tánger", en *Revista de Geografía Comercial,* 40 (30. VI. 1887), 349.

"España y el convenio anglo-turco", en *Revista de Geografía Comercial,* 41 (15. VII. 1887), 381-384.

"La isla Hesperia", en *Revista de Geografía Comercial,* 48 (31. X. 1887), 559-569.

Plan de una historia del derecho español en la antigüedad. Madrid, 1887-1900.

Islas líbicas: Cyranis, Cerne, Hesperia. Madrid, 1887.

"Paraíso y purgatorio de las almas, según la mitología de los iberos", en *B. I. L. E.*, 270 (15. V. 1888), 128-132.

"Origen y destino del derecho romano, según Giuseppe Carle", en *R. G. L. J.*, 73 (1888), 375-390.

Los ayuntamientos y las alineaciones de calles: estudio de derecho administrativo. Madrid, 1889.

"Reorganización del notariado, del registro de la propiedad y de la administración de justicia", en *R. G. L. J.*, 76 (1890), 233-302; 77 (1890), 51-90; 79 (1891), 30-80; 80 (1892), 273-310; 82 (1893), 66-125.

Reorganización del notariado, del registro de la propiedad y de la administración de justicia. Madrid, 1890-1893. Segunda ed., Madrid, 1917.

"Un problema de derecho aragonés", en *B. I. L. E.*, 376 (15. X. 1892), 300-304; 377 (31. X. 1892), 317-319; 378 (15. XI. 1892), 332-336.

"Refranes meteorológicos del Alto Aragón", en *La Derecha* (junio 1893), 8-9.

"Dos inscripciones hispano-latinas", en *B. I. L. E.*, 415 (31. X. 1894), 308-310.

Primera campaña de la Cámara Agrícola del Alto Aragón. Madrid, 1894.

Interdicto de adquirir la posesión por albaceas y legatarios. Madrid, 1895.

Reforma de la fe pública. Madrid, 1895. Segunda ed., Madrid, 1897.

Prólogo a *El notariado moderno,* de S. Méndez Plaza. Madrid, 1895.

Colectivismo, comunismo y socialismo, en derecho positivo español. Madrid, 1895.

Prólogo a *La ley del embudo,* de Pascual Queral y Formigales. Madrid, 1897.

"La jornada legal de ocho horas en Zaragoza", en *El Socialista,* 1 de mayo de 1898, 2.

A la Real Academia de la Historia. Madrid, 1898.

Colectivismo agrario en España. Madrid, 1898. Segunda edición, Madrid, 1915. Tercera edición, Buenos Aires, 1944.

"Manifiesto y conclusiones de la Liga Nacional de Productores", en *Revista Nacional,* 1 (10. IV. 1899), 1-14.

"El directorio al país", en *Revista Nacional,* 1 (10. IV. 1899), 22-30.

"Conclusiones o programa de la Asamblea", en *Revista Nacional*, 1 (10. IV. 1899), 14-22.

"Conclusiones de la Asamblea Nacional de Productores", en *Revista Nacional*, 1 (10. IV, 1899), 14.

"Regeneración y tutela social", en *Revista Nacional*, 3 (1. V. 1899), 60-63.

"Las elecciones generales y la Liga", en *Revista Nacional*, 3 (1. V. 1899), 55-63.

"Regeneración y tutela social: Isabel de Castilla", en *Revista Nacional*, 5 (1. VI. 1899), 101-104.

"Nuestros plagios de la política hidráulica", en *Revista Nacional*, 5 (1. VI. 1899), 71-93.

"Suspensión de la Asamblea", en *Revista Nacional*, 7, 8 (9. VII, 1899), 146-149.

"Solaces de política hidráulica", en *Revista Nacional*, 6 (16. VI. 1899), 116-123.

"Los presupuestos y la Liga", en *Revista Nacional*, 7, 8 (9. VII. 1899), 133-139.

"Suspensión de la convocatoria para la nueva Asamblea", en *Revista Nacional*, 7, 8 (9. VII. 1899), 146-149.

"El directorio de la Liga Nacional de Productores a las sociedades afiliadas", en *Revista Nacional*, 9 (1. VIII. 1899), 188-192.

"Regeneración y tutela social: Isabel de Castilla", en *Revista Nacional*, 11 (1. IX. 1899), 223-226; 15 (31. X. 1899), 313-315; 18 (16. XII. 1899), 374-380; 19 (1. I. 1900), 396-402.

"En defensa de la Marina y del Ejército", en *Revista Nacional*, 12 (30. IX. 1899), 237.

"El actual problema de España y la Liga Nacional", en *Revista Nacional*, 14 (16. X. 1899), 289-293.

"Mensaje circular del directorio de la Liga", en *Revista Nacional*, 16, 17 (15., 31. X. 1899), 328-333.

"Huertos comunales", en *Revista Nacional*, 16, 17 (16., 30. X. 1899), 338-345.

"La fiesta del árbol", en *Revista Nacional*, 19 (1. I. 1900), 403-404.

"Más sobre regionalismo", en *Revista Nacional*, 20 (15. I. 1900), 412-414.

"Fusión de las Asambleas de Zaragoza en una Unión Nacional", en *Revista Nacional*, 21, 22 (1., 8. III. 1900), 444-447.

"La protesta de la Unión Nacional contra el Parlamento", en *Revista Nacional,* 23, 24 (31. III., 16. IV. 1900), 479-486.

Reconstitución y europeización de España. Madrid, 1900. Segunda ed., Huesca, 1924.

Prólogo a *La descentralización y el regionalismo,* de A. Royo Villanova. Zaragoza, 1900.

"El Tratado de París y la política colonial de España en Africa, en *Revista de Geografía Colonial y Mercantil,* 5 (1900), 568-578.

Quiénes deben gobernar después de la catástrofe. Madrid, 1900.

El problema de la ignorancia del Derecho y sus relaciones con el "status" individual, el "referéndum" y las costumbres, con una contestación de Gumersindo de Azcárate. Madrid, 1901. Segunda ed., Madrid, 1908. Tercera ed., Barcelona, s. f. Cuarta ed., Buenos Aires, 1945, con un estudio preliminar de Guillermo Cabanella. Quinta ed., Buenos Aires, 1957. Publicado en la revista *La Nueva Era* (1901). 107-108 y 144-148.

Oligarquía y caciquismo como la forma actual de gobierno de España, urgencia y modo de cambiarla. Madrid, 1901. Segunda ed., muy aumentada, Madrid, 1901. Tercera edición, Madrid, 1902. Cuarta ed., Madrid, 1903.

"Un regenerador español del siglo XVII", en *La España Moderna,* 168 (diciembre de 1902), 87-102.

Derecho consuetudinario y economía popular de España, en colaboración con Santiago Méndez, Miguel de Unamuno, Manuel Pedregal, José Piernas Hurtado, Pascual Soriano, Rafael Altamira, Juan Alfonso López de la Osa, Juan Serrano, Victoriano Santamaría, Elías López Morán y Gervasio González Linares. 2 vols. Barcelona, 1902.

"Estómago y Patria", en *Revista Socialista,* 9 (16 de mayo de 1903), 272.

"El turno del pueblo", en *Revista Socialista,* 9 (16 de mayo de 1903), 360-361,

A las personas honradas (a propósito del legado benéfico Remón-Bustillo). Madrid, 1904.

El juicio pericial y su procedimiento. Madrid, 1904.

"¿Emigración o repatriación?", en *El Ribagorzano,* 31 de septiembre de 1906, 1-2.

Fideicomisos y albaceazgos de confianza. Madrid, 1905.

"La revolución de arriba", en *El Ribagorzano,* 13 de septiembre de 1905, 1.

"Minuta", en *El Ribagorzano,* 31 de octubre de 1906, 1.

"España", en *El Ribagorzano,* 20 de noviembre de 1906, 1-2.

Prólogo a *Juan Corazón,* de R. Sánchez Díaz. Santander, 1906.

Los intereses de España y Marruecos son armónicos. Madrid, 1906 (Suplemento a *España en Africa,* 15 de enero de 1906.)

"Contra el orden vigente", en *El Ribagorzano,* 10 de abril de 1907, 1.

"Opinión de Costa en la cuestión de Marruecos", en *El Ribagorzano,* 13 de septiembre de 1907, 1.

"Isidrismo y abyección", en *El Ribagorzano,* 30 de septiembre de 1908, 1-2.

"La jura de Santa Gadea", en *El Ribagorzano,* 19 de marzo de 1908, 1.

"Incienso que hiede", en *El Ribagorzano,* 31 de agosto de 1908, 1.

"Sin adjetivos y sin equívocos", en *El Ribagorzano,* 15 de marzo de 1909, 1.

"Los amnistiadores amnistiados", en *El Ribagorzano,* 30 de abril, de 1909, 1-2.

"Sin adjetivos y sin equívocos", en *El Ribagorzano,* 15 de junio de 1909, 1.

"Gozaban ya la República", en *El Ribagorzano,* 13 de septiembre de 1909, 1-2.

"A propósito de lo del Rif", en *El Ribagorzano,* 15 de octubre de 1909, 1.

Alma portuguesa. Porto-Magalhaes, 1909.

El trabajo colèctivo y las pensiones para la vejez. Madrid, 1909.

"Ermitaños y políticos", en *El Ribagorzano,* 30 de marzo de 1910, 1.

"El último día del paganismo", en *La España Moderna,* 257 (mayo de 1910), 103-137; 259 (julio de 1910), 265-267.

"Sobre la forma de gobierno", en *El Ribagorzano,* 30 de junio de 1910, 1-2.

"El caciquismo", en *El Ribagorzano,* 31 de diciembre de 1910, 1.

"Un artículo de Costa a los veintidós años", en *El Ribagorzano,* 15 de marzo de 1911, 1-2.

"El porvenir del Alto Aragón", en *El Ribagorzano*, 15 de junio de 1911, 1.

Política hidráulica. Madrid, 1911.

Tutela de pueblos en la historia. Madrid, 1911. Segunda edición, Madrid, 1917.

La salvación de España por una agricultura adecuada, inteligente y racional. Madrid, 1911.

La tierra y la cuestión social. Huesca, 1911-1912. Segunda edición, Madrid, 1912.

Agricultura armónica. Madrid, 1911.

La forma de la agricultura española. 2 vols. Madrid, 1911-1912.

Ultimo día del paganismo... y primero de lo mismo. Huesca, 1911. Segunda ed., Madrid, 1917. Tercera ed., Madrid, 1918.

El arbolado y la Patria. Madrid, 1912.

Marina española o la cuestión de la Escuadra. Huesca, 1912. Segunda ed., Madrid, 1912. Tercera ed., Madrid, 1913.

Crisis política de España. Madrid, 1914.

Política quirúrgica. Madrid, 1914.

Los siete criterios de gobierno. Huesca, 1914. Segunda edición, Madrid, 1914. Tercera ed., Madrid, 1924.

Alemania contra España. Madrid, 1915.

Testamentos. Fórmulas comprendiendo testamentos públicos e estados, autos de aprovaçao e abertura. Coimbra, 1916.

Maestro, escuela y patria. Madrid, 1916.

Instituciones económicas para obreros. Las habitaciones de alquiler barato en la Exposición Universal de París de 1867. Madrid, 1918. Segunda ed., Tortosa, 1918.

Prólogo al *Oráculo manual* de Baltasar Gracián. Buenos Aires, 1943.

Ensayo sobre el derecho consuetudinario. Madrid, s. f.

ANTOLOGIAS

Ateneo costista. Zaragoza, 1913.

GARCÍA MERCADAL, J., *Ideario de Costa*, con prólogo de L. de Zulueta. Madrid, 1919. Segunda ed., Madrid, 1932.

GARCÍA MERCADAL, J., *Historia, política social, patria*. Madrid, 1961.

CIGES APARICIO, Manuel, *Joaquín Costa.* Madrid, s. f.

Antología de Joaquín Costa, con prólogo de José Rodríguez Sánchez. Madrid, 1960.

Información Comercial Española, 340 (diciembre 1961), Madrid.

Una selección de cartas inéditas de Costa ha sido publicada en las siguientes obras:

ARCO, Ricardo del, *Figuras aragonesas (tercera serie).* Zaragoza, 1956.

Joaquín Costa en el cincuentenario de su muerte. Zaragoza, 1961.

ORTEGA, Soledad, *Cartas a Galdós.* Madrid, 1964.

Partes importantes de su diario inédito fueron publicadas en las siguientes obras:

OLMET, Luis Antón del, *Los grandes españoles: Costa.* Madrid, 1917.

AZCÁRATE, Gumersindo de, *Necrología del Sr. Joaquín Costa y Martínez.* Madrid, 1919.

Reproducimos la lista de materiales inéditos, publicada por Marcelino Gambón con motivo del segundo aniversario de la muerte de Costa, en *El Ribagorzano* de Graus.

Esta lista fue recogida en el *Ideario* de José García Mercadal y en las bibliografías de Ciges Aparicio.

Sobre agricultura.

Geografía.

Pedagogía.

Derecho.

Política nacional.

Cuestiones locales.

La descentralización y el regionalismo.

Los intereses de España en Marruecos son armónicos.

Colectivismo, comunismo y socialismo.

Prólogo a *Juan Corazón.*

Abolición de la esclavitud.

Informe sobre la escuadra.

Artículos históricos.

Folklore aragonés.

Dialectos de transición.

Proyecto de antiguos libros.

Enseñanza de la agricultura en las escuelas.

Mis primeros ensayos impresos.

Meteoros acuosos (1866).

Novelas nacionales (1894).

Arte e historia.

Preocupación de Costa acerca de las materias de gobierno (1883).

Proyectos sobre la enseñanza de la agricultura.

Programa de un discurso filosófico sobre la Historia Universal.

Historia Universal (1870).

Apuntes para un nuevo método de enseñanza.

El faro de los niños.

Casas baratas para obreros, con sus planos.

Si puede España ser una nación moderna.

Arrendamientos agrícolas.

Paraíso y purgatorio de las almas según la mitología de los iberos.

Folklor aritmético.

Programa político del país.

Colectivismo hidráulico.

Generación del Poder.

Estudios críticos.

Porta Coeli (artículo social).

Artículos sobre derecho.

Inscripción iberolatina de Jódar.

Revolución española.

Ideas de las Cortes españolas sobre la propiedad territorial.

Discurso en el Ateneo oscense.

Las pequeñas novelas.

La religión de los españoles.

Agricultura: Campo romano.

El Patronato de Cuba.

¡Exoriatur Aliquis!

Partido aragonés.

Catastro y Actas Torréns.

Mi partido político (en turno de publicación).

El gubernamentalismo.

Proyecto de excursión a Marruecos.

Plan de un libro sobre mis excursiones por el Pirineo.

Asamblea de productores (febrero de 1899).

Congreso de Agricultura en Madrid (1880).

Tierras concejiles para el pueblo.

Carpeta para política hidráulica.

Carpeta sobre artículos de historia.
Estudios de política interior y colonial.
Discursos de Zaragoza (1906).
Carpeta sobre colectivismo agrario.
Carpeta para *El Ribagorzano.*
Addenda.
Ensayo de un plan sobre caminos vecinales.
Socialismo y colectivismo.
Política hidráulica.
Política obrera.
Puerto de Benasque.
Cuba: datos del Civil Report.
Biología.
Importancia social de los alumbramientos de agua.
Protección y librecambio.
Funciones de Aragón en el organismo de la nacionalidad
  española.
Costa, juez de oposiciones.
Documentos de mi vida.
Programas y partidos.
Partido geográfico.
Bocetos de poemas de Costa.
Conferencia en la Asociación de Prensa.
Montjuich y Pedro Corominas.
Opiniones sobre un discurso de la Academia.
Programa para un libro de geografía.
Lo grande y lo pequeño.
A los comerciantes de La Coruña.
Tarjeta postal (caridad).
Pobreza constitucional del territorio.
Sobre Patria.
Doctrina aristotélica.
Los canales y Salmerón.
Sistema de gobierno español.
Programa de la Sociedad Africanista.
Raza inferior; falta de aptitudes.
España es nación de hacienda averiada.
Contra el parlamentarismo.
Pósitos.
Cartas políticas.
¡Que el pueblo está solo!
Servicio militar obligatorio.

Para el Congreso.
Programa político del Cid Campeador.
Ultimo día del paganismo (14 capítulos, que ocupan 560
   páginas).
Fracaso de la Unión Nacional (en turno de publicación).
Refranes ribagorzanos.
Tipos y retratos (materiales para una novela).
Falta de aptitudes en el pueblo español.
Lerroux (atentado de Hostrafranchs).
Frases de Costa.
Opinión de Costa: guerra del Rif y Maura.
La República y los republicanos.
Campaña sobre Marruecos.
Guerra del Rif (1908).
Ferrocarriles secundarios (Alto Aragón).
Judíos de Oriente.
Ingreso de Costa en el partido republicano.
Política agraria.
Petición a las Cortes sobre Africa.
La protección de España a Cataluña.
¡Arrepentidos!
Zonas neutrales.
Intelectuales.
El Muni.
Los caminos vecinales y Gasset.
Programa político.
Política de espectáculos.
Canalejas y la política de la Cámara Agrícola del Alto
   Aragón.
Cantera de intelectuales.
Partido fusionista (Paraíso y Sagasta).
Organización militar.
Ahorro y crédito agrícola.
Problema agrario de los campos.
Catalanismo, separatismo.
Organización del partido republicano.
Sagasta y el manifiesto.
Política internacional de España.
Política y administración.
Aragón y Zaragoza.
Sobre tuberculosis.
Sueldos de ministros.

Administración provincial y municipal.
Agricultura.
Repoblación de montes.
Inundaciones.
La unidad de la Patria.
¿Romanones regenerador?
Que España ha concluido.
Salmerón contra su jefatura.
El sainete de Lerroux.
Crítica de la Restauración.
La España tonta.
El Arbol de los Sitios.
Guinea española (en turno de publicación).
A los boers.
Lo gastado en la guerra, si se hubiera gastado en la paz...
(en turno de publicación).
Sobre la bancarrota nacional.
Finis Hispaniae.
Mudar de cabeza.
Obreros y soldados vegetales.
Para que triunfe la República.
Mar Pequeña y Sáhara occidental.
Europeización de los agricultores.
Melancolías incurables de Costa.
Cómo se nacionalizará la Monarquía.
El hambre en 1894.
Doña Emilia Pardo Bazán.
Caciquismo en Alozaina.
¡Marina de guerra! ¿Para qué ha servido?
Cuestiones de hacienda.
Colonias portuguesas: Capello e Ibens.
¿Costa redentor?
Lo que el Gobierno ha hecho del programa de Zaragoza.
Costa a los comerciantes de Valencia.
Influencia.
Cuatro años después.
Cómo hacen Maura y Silvela la revolución.
No tenemos fe.
Los que pretendemos representar a las clases neutras.
Los pesimismos de Moret.
La España de hoy.
Crédito agrícola: *El Sol* y los cambios.

Regeneración de España.
Partidos: no especie fija.
Poesía popular del Alto Aragón.
Alimentación de las plantas y su fecundación.
Venida de Lerroux a Graus.
Jefatura en Cataluña.
¡Morir tenemos! (hacia el cementerio).
Nacionalización de la dinastía.
Empeñados en hacerme lerrouxista.
Ermitaños y políticos.
Tudela y Queiles.
¡Jefatura!
Perdida la última esperanza.
¿Dónde estaba Costa durante la Restauración?
Política angloespañola.
Opresión de la Prensa.
Pensamiento político de Salmerón.
Después de mi separación del partido (1909).
Mi causa criminal por mi artículo contra Maura.
Lo que hemos intentado desde Barbastro.
Oligarquía y caciquismo (nueva edición).
España en el madero.
La conquista del pan.
Cultivo público de tierras privadas.
Fundación de la Cámara Agrícola del Alto Aragón.
Caciquismo: responsabilidades de Camo.
Para autógrafos.
Poesía de la Edad Media.
Ignorancia del derecho civil real.
Personal para la nueva gobernación.
El trabajo colectivo y las pensiones para la vejez.
Tentativa de nueva Unión Nacional.
Renuncia del rey.
Manifiesto electoral de Barbastro.
Gibraltar, Marruecos, Portugal.
El problema de los cambios.
Política hidráulica y Cámara de Barbastro.
Manifiesto de la Cámara.
Ferrocarriles: rescate.
Presupuestos, economías.
Cuestión monetaria.
Banco de España: cuestión montearia.

Canales.

Policía de caminos vecinales.

Mis supuestas declaraciones de Graus contra Salmerón.

Mis causas por dinastía ilegítima y cómo se nacionaliza el rey.

Impuesto de consumos.

Mariano de Cavia.

Pesimismo nacional: Finis Hispaniae.

Lo que es la magistratura española.

La dirección de Costa a las masas para el pronto advenimiento de la República.

Varios paquetes de notas y materiales para la novela *Soter* con los títulos: *La Revolución. El cadalso en las plazas públicas. Soter a Ceuta. España grande,* etc.

OBRAS CONSULTADAS

Las obras marcadas con asterisco son obras de carácter general en las que no hay referencia extensa a J. Costa.

ABIZANDA, Manuel, "El aragonismo de Costa", en *Aragón,* 5 (febrero de 1926), 74-75.

ACHÓN, Isidoro, "Costa, orientador del pueblo", en *Aragón,* 5 (febrero de 1926), 71.

ALBORNOZ, Alvaro de, *El partido republicano.* Madrid, 1932. *Semblanzas españolas.* Méjico, 1954.

ALFARO CALVO, J., "Una recordación", en *Aragón,* 5 (febrero de 1926), 70.

ALTAMIRA, Rafael, *Hechos y hombres de España.* Madrid, 1928.

— *Historia de la propiedad comunal.* Madrid, 1890.

— *Psicología del pueblo español.* Barcelona, 1917.

ANTÓN DEL OLMET, Luis, *Los grandes españoles: Costa.* Madrid, 1917.

ARAQUISTAIN, Luis, "Costa en Inglaterra", en *El Liberal,* 13 de febrero de 1911, 1.

— *España en el crisol.* Barcelona, s. f.

— *El pensamiento español contemporáneo,* Buenos Aires, 1961.

ARNAL CAVERO, C., "La ingente, la sorprendente obra de Costa", en *Heraldo de Aragón* (8. II. 1961), 6-7.

ARTOLA, Miguel, *Los orígenes de la España contemporánea*. 2 vols. Madrid, 1959. *

ASCARZA, V. F., "Pensando en Costa", en *El Liberal*, 13 de febrero de 1911, 3.

ARCO, Ricardo del, *Figuras aragonesas*. Zaragoza, 1956.

AYALA LORDA, José, "Un aniversario más", en *Aragón*, 5 (febrero de 1926), 7-9.

AZAÑA, Manuel, *Plumas y palabras*. Madrid, 1930.

AZCÁRATE, Gumersindo de, *Necrología del Sr. Joaquín Costa y Martínez*. Madrid, 1919.

— *Los latifundios*. Madrid, 1905. *

Azcárate, Pablo de, "En torno a Joaquín Costa", en *Insula*, XVII (CXC), 3-4.

AZORÍN, *Obras completas*. Madrid, 1951.

— *De Valera a Miró*. Madrid, 1959.

BELLO, Luis, "Ideas de Costa", en *La Lectura*, XIX (1919), 374-382.

BERGUER, José, *Psicología del pueblo español*. Madrid, 1934.

BEROLZHEIMER, Fritz, *The World's Legal Philosophies*. Boston, 1912. *

BESCÓS, Manuel (Silvio Kossti), *Epigramas*. Madrid, 1920.

BESSES, Luis, *El año anterior*. Madrid, 1901.

BIELSA, Rafael, *Algunos perfiles de políticos y juristas*. Rosario, 1940.

BRENAN, Gerald, *The Spanish Labyrinth*. Cambrigde, 1960.

BORKENAU, Franz, *The Spanish Cockpit*. Londres, 1937. *

BUYLLA, A., "Colectivismo agrario en España", en *La España Moderna*, 120 (diciembre de 1898), 189-194.

CACHO, Vicente, *La Institución Libre de Enseñanza*. Madrid, 1962.

CAMPS I ARBOIX, Joaquín, *Durán i Bas*. Barcelona, 1961.

CANALEJAS, Francisco de Paula, *Estudios críticos de filosofía, política y literatura*. Madrid, 1872.

CARRERA PUJAL, Jaime, *Historia política de Cataluña en el siglo XIX*. 7 vols. Barcelona, 1958. *

CARRERAS ARTÁU, Tomás, "Joaquín Costa i els estudis consuetudinaris a Espanya", en *Arxiu d'Etnografi i Folklore de Catalunya*, II (1918).

— *Una excursió de psicología i etnografia hispanes: Joaquín Costa*. Barcelona, 1918.

BIBLIOGRAFIA

— *La filosofía del derecho en el Quijote.* Barcelona, 1904.
— *Estudio sobre los médicos filósofos españoles del siglo XIX.* Barcelona, 1952. *
CASTÁN PALOMAR, Fernando, *Aragoneses contemporáneos.* Zaragoza, 1934.
CASTRO, Cristóbal de, "Joaquín Costa", en *Heraldo,* 8 de febrero de 1911, 1.
CASTRO Y BRAVO, Federico, *Derecho civil de España.* Valladolid, 1942. *
CAVIA, Mariano de, "La tumba de Costa", en *El Imparcial,* 9 de febrero de 1911, 1-2.
— "Doctrinal de Joaquín Costa", en *El Imparcial,* 11 de febrero de 1911, 1.
CEJADOR, Julio, *La verdadera poesía castellana.* 4 vols. Madrid, 1921.
CHEYNE, G. J., "Menéndez Pelayo, Costa and the *Premio extraordinario del doctorado en Filosofía y Letras*", en *Bulletin of Hispanic Studies,* XLII (IV, 1965), 94-105.
CIGES APARICIO, Manuel, *Joaquín Costa.* Madrid, s. f.
— *Joaquín Costa. El gran fracasado.* Madrid, 1930.
"Colectivismo agrario en España", en *La Lucha de Clases,* 202 (20 de agosto de 1898), 1-2.
CORTÓN, Antonio, "La sinceridad del maestro", en *El Liberal,* 11 de febrero de 1911, 2.
DÍAZ PLAJA, Fernando, *La historia de España en sus documentos. El siglo XIX.* Madrid, 1954. *
DÍEZ DEL CORRAL, Luis, *El liberalismo doctrinario.* Madrid, 1945. *
DOMINGO, Marcelino, *Joaquín Costa.* Madrid, 1926.
DORADO MONTERO, Pedro, *Problemas de derecho penal.* Madrid, 1895.
DURÁN Y BAS, Manuel, *La ciencia del derecho en el siglo XIX,* Madrid, 1859. *
ELÍAS TEJADA, Francisco, *El hegelianismo jurídico en España.* Madrid, 1944. *
FERNÁNDEZ ALMAGRO, Melchor, *Orígenes del régimen constitucional en España.* Barcelona, 1928. *
— "El caso Joaquín Costa", en *Revista de Estudios Políticos,* XVI (1946), 110-118.
— *Historia política de la España contemporánea.* 2. vols. Madrid, 1959.
FLÓREZ ESTRADA, Alvaro, *La cuestión social.* Madrid, 1839. *

GAMBÓN, Marcelino, *Biografía y bibliografía de Joaquín Costa.* Huesca, 1911.

GAMBRA, Rafael, *La monarquía social y representativa en el pensamiento tradicionalista.* Madrid, 1958. *

GARCÍA CALDERÓN, Ventura, "El profeta Costa", en *El Siglo,* 4 (1923), 3-4.

GARCÍA ESCUDERO, José María, *De Cánovas a la República.* Madrid, 1951.

GARCÍA MERCADAL, José, *Los cachorros del león.* Madrid, 1912.

— "El pueblo de Costa", en *Aragón,* 5 (febrero de 1926, 69-70.

GARCÍA VENERO, Maximiano, *Historia del nacionalismo catalán.* Madrid, 1944. *

— *Historia de las Internacionales en España.* 3 vols. Madrid, 1956-1957.*

— *Santiago Alba.* Madrid, 1964.

GIL GIL, Gil, "Joaquín Costa", en *Aragón,* 5 (febrero de 1926), 68-69.

GIL NOVALES, Alberto, *Derecho y revolución en el pensamiento de Joaquín Costa,* Madrid, 1965.

GIMÉNEZ CABALLERO, Ernesto, "Joaquín Costa y Alfredo Oriani", en *La conquista del Estado,* 2 (21. III. 1931), 1-2.

GÓMEZ DE BAQUERO, G., "Discurso en los juegos florales de Salamanca", en *La España Moderna,* 154 (octubre de 1901), 143-154.

GONZÁLEZ BLANCO, Edmundo, *Costa y el problema de la educación nacional.* Barcelona, 1920.

— "Joaquín Costa", en *Nuestro Tiempo,* 175 (julio de 1913), 5-37.

GONZÁLEZ POSADA, Adolfo, *Tratado de derecho político.* Madrid, 1922. *

— "Colectivismo, comunismo y socialismo en derecho positivo español", en *La España Moderna,* 87 (marzo de 1896), 174-176.

— "Le mouvement social en Espagne", Extrait de la *Revue Internationale de Sociologie.* París, 1901

GONZÁLEZ SERRANO, Urbano, *La literatura al día* (1900-1903). Barcelona, 1903.

GRANJEL, Luis, *Panorama de la generación del 98.* Madrid, 1959.

Guixe, Juan, *Idea de España*. Madrid, 1915.

Gurvitch, Georges, *L'idée de droit social*. París, 1932. *

Hidalgo, Jacinto, *Ideario histórico de la Restauración española*. Sevilla, 1955. *

Hinojosa, Eduardo de, "Joaquín Costa como historiador del derecho", en *Anuario de Historia del Derecho Español*, II (1925), 5-12.

Homenaje dedicado por el Instituto General y Técnico de Huesca a sus preclaros exalumnos graduados Joaquín Costa Martínez y Santiago Ramón y Cajal. Huesca, 1922.

Hobsbawn, E., *Las revoluciones burguesas*. Madrid, 1964. *

Infante Pérez, Blas, *La obra de Costa*. Sevilla, 1916.

Jackson, Gabriel, "Joaquín Costa et les problèmes de l'Espagne moderne", tesis inédita presentada a la Universidad de Toulouse en 1952.

"Costa et sa 'Revolution par le haut", en *Estudios de Historia Moderna*, III (1953), 287-300.

Jeschke, Hans, *La generación del 98*. Madrid, 1954.

Jobit, Pierre, *Les éducateurs de l'Espagne contemporaine*. 2 vols. París-Burdeos, 1936. *

Lacalle Salinas, J. M., "Joaquín Costa (o Sísifo y España)", en *Cuadernos Hispanoamericanos,* 102 (junio 1958), 433-438.

Laín Entralgo, Pedro, *España como problema*. 2 vols. Madrid, 1956.

Legaz Lacambra, Luis, "Libertad política y libertad civil, según Joaquín Costa", en *Revista de Estudios Políticos,* 29, 30 (septiembre-diciembre de 1946), 1-43.

— "El pensamiento social de Joaquín Costa", en *Revista Internacional de Sociología,* 18 (1947), 335-355; 19 (1947), 155-175.

Lema, Marqués de, *De la Revolución a la Restauración*. Madrid, 1927. *

Lerroux, Alejandro, *Mis memorias*. Madrid, 1963.

López de Haro, Rafael, "Costa notario", en *El Liberal,* 13 de febrero de 1911, 2.

López Morillas, Juan. *El krausismo español*. Méjico, 1956. *

López Núñez, Alvaro, "Salamero y Costa", en *Anales de la Academia de Ciencias Morales y Políticas,* cuaderno 4 (octubre-diciembre de 1935), 595-600.

Lorenzo, Anselmo, *El proletariado militante*. 2 vols. Barcelona, 1901-1923.

— "Joaquín Costa", en *Tierra y Libertad*, 50 (15 de febrero de 1911), 1-2.

LUÑO PEÑA, J., *Historia de la filosofía del derecho*. 2 volúmenes. Barcelona, 1949.

MACÍAS PICAVEA, Ricardo, *El problema nacional*. Madrid, 1899.

MADARIAGA, Salvador, *España*. Buenos Aires, 1950.

MAEZTU, Ramiro de, *Hacia otra España*. Madrid, 1899.

— *Debemos a Costa*. Zaragoza, 1911.

— *La Revolución y los intelectuales*. Madrid, 1911.

MARÍAS, Julián, *Ortega*. Madrid, 1960.

MARÍN, Sancho, "In memoriam", en *Aragón*, 5 (febrero de 1926), 6-7.

MARRA LÓPEZ, J. R., "Un desconocido: Joaquín Costa", en *Insula*, XVI (CIXXX), 4.

MARRERO, Vicente, *Maeztu*. Madrid, 1955.

MARTÍN RETORTILLO, Cirilo, *Joaquín Costa*. Barcelona, 1961.

MARTÍNEZ BASELGA, Pedro, *Quién fue Costa*. Zaragoza, 1918.

MARX, Carlos, *La Revolución en España*. Madrid, 1961. *

MÉNDEZ CALZADA, J., *Joaquín Costa: precedente doctrinario de la segunda República española*. Buenos Aires, 1944.

— "Las doctrinas jurídicas de Joaquín Costa", en *Revista de la Facultad de Derecho y Ciencias Sociales de la Universidad de Buenos Aires*, V (1923), 871-883.

MINGUIJÓN, Salvador, "La obra social de Costa", en *Aragón*, 5 (febrero de 1926), 66-67.

MORÁN BAYO, Juan, *Tres agraristas españoles: Jovellanos, Fermín Caballero, Costa*. Córdoba, 1931.

MOYA, Miguel, *Los jurisconsultos españoles*. 3 vols. Madrid, 1911.

NOEL, Eugenio, *Escenas y andanzas de la campaña antiflamenca*. Valencia, s. f.

"Nota necrológica", en *B. I. L. E.*, 612 (31. III. 1911), 65-70.

OLIVER BERTRAND, R., "Costa, soñador y hombre de acción", en *Cuadernos Americanos*, XXVI (1963), 111-140.

D'ORS, Eugenio, *Nuevo glosario*. Madrid, 1947.

ORTEGA Y GASSET, José, *Obras completas*. Madrid, 1957.

OTS CAPDEQUÍ, José María, "Los grandes cultivadores de la historia del derecho español", en *Anales de la Universidad de Valencia*, cuadernos 27 y 28 (1923-1924), 117-159.

PARAÍSO, Basilio, *Joaquín Costa patriota y vidente*. Madrid, 1928.

PÉREZ, Dionisio, *El enigma de Costa: ¿revolucionario, oligarca?* Madrid, 1930.

PUIG CAMPILLO, Antonio, *Joaquín Costa y sus doctrinas pedagógicas.* Valencia, 1911.

RAMA, Carlos M., *La crisis española del siglo XX.* Méjico, 1960.

RAMOS OLIVEIRA, Antonio, *Historia de España.* 3 vols. Méjico, 1944.

— *Politics, Economics and Men of Modern Spain.* Londres, 1946.

Real Academia de Ciencias Morales y Políticas, *Biografías de los señores académicos de número.* Madrid.

RÉPIDE, Pedro de, "El apóstol", en *El Liberal,* 9 de febrero de 1911, 1.

— "El león del llano y las águilas de las cumbres", en *El Liberal,* 6 de febrero de 1911, Madrid, 1.

RÍOS URRUTI, Fernando de los, *La filosofía del derecho en Francisco Giner.* Madrid, 1916. *

ROJAS, Ricardo, *Retablo español.* Buenos Aires, 1938.

ROLIN-JACQUESMYNS, M. G., "De la littérature juridique actuelle de l'Espagne", en *Extrait de la Revue de Droit International,* XIX (1887), 5-6.

ROYO BARANDIARAN, T., "Tres fechas", en *Aragón,* 5 (febrero de 1926), 77-78.

ROYO VILLANOVA, Antonio, *El problema político.* Madrid, 1899.

RUIZ GUTIÉRREZ, Francisco, *Ecos y lecturas de Joaquín Costa.* Málaga, 1913.

SALAVERRÍA, José María, "El aniversario de Costa", en *A B C,* 10 de febrero de 1916, 7.

— "La sombra pesimista", en *A B C,* 31 de marzo de 1916, 5.

SALVADOR Y BARRERA, J. M., "Discurso de ingreso", en *Discursos de Ingreso en la Academia de Ciencias Morales y Políticas,* Madrid, 1916.

SAMBLANCAT, Joaquín, "El espíritu de Costa", en *Aragón,* 5 (febrero de 1926), 76.

SÁNCHEZ ALBORNOZ, Nicolás, *Las crisis de subsistencia de España en el siglo XIX.* Rosario, 1963. *

SARDÁ, Juan, *La política monetaria y las fluctuaciones de la economía española en el siglo XIX.* Madrid, 1948. *

SIERRA MOLINA, Francisco, "Las tendencias colectivistas agrarias después de la desamortización", en *Revista de Estudios Extremeños,* VIII (1952), 41-61.

STEIN, L., *Die Soziale Frage im Licht Philosophie,* Stuttgart, 1903.

TALLADA PAULI, J. M., *Historia de las finanzas españolas en el siglo XIX.* Madrid, 1946.

TELL I LA FONT, Guillermo, *Un siglo de escuela histórica.* Madrid, 1914. *

TERRÓN ABAD, Eloy, "La filosofía krausista en España", tesis inédita presentada en la Universidad de Madrad en 1958. *

THOYRO, Jacinto, "Joaquín Costa, precursor de la revolución, española", en *Timón,* 2 (1938), 53.

TIERNO GALVÁN, Enrique, *Costa y el regeneracionismo.* Barcelona, 1961.

TORRES CAMPOS, Manuel de, *Bibliografía española contemporánea del derecho y la política.* Madrid, 1883.

TUÑÓN DE LARA, Manuel, *La España del siglo XIX.* París, 1961.

UNAMUNO, Miguel de, *Obras completas.* Madrid, 1958.

USON, Paulino, "Costa y la enseñanza", en *Perspectivas pedagógicas,* II (1960), 6.

VICÉNS VIVES, J. *Historia social y económica de España y América.* 5 vols. Barcelona, 1959. *

— *Industrials i politics (segle XIX).* Barcelona, 1958. *

— *Manual de historia económica de España.* Barcelona, 1959. *

VIÑAS, Carmelo, *Reforma agraria en el siglo XIX.* Santiago, 1933.*

ZOZAYA, Antonio, "Testamento y codicilo", en *El Liberal,* 10 de febrero de 1911, 1.

9/12070